DE GEUR VAN WILDE BLOEMEN

Gerda van Wageningen

De geur van wilde bloemen

Westfriesland

25. 07. 2011

Tweede druk, juni 2011

www.uitgeverijwestfriesland.nl
www.gerdavanwageningen.nl

NUR 344
ISBN 978 90 205 3031 5

© 2010 Uitgeverij Westfriesland, Kampen
Omslagillustratie en -ontwerp: Bas Mazur

HOOFDSTUK 1

Huiverend opende Joke van der Sluis de buitendeur. Foei, wat waaide er een ijskoude wind. Met een rilling over haar rug ging ze de keldertrap af, om haar fiets beneden in de kelderruimte te stallen.
Het was laat geworden, het was al donker. Vanwege het besneeuwde wegdek had ze hele stukken moeten lopen om thuis te komen. Nadat ze de kelderdeur weer op slot had gedaan, nam ze behendig de vele treden van de trappen naar boven.
Het gezin Van der Sluis woonde driehoog in een portiekflat in Rotterdam-Zuid. Vele straten met allemaal ongeveer dezelfde huizen waren daar in de afgelopen jaren gebouwd. Meteen na afloop van de oorlog, nu alweer bijna elf jaar geleden, was er in het hele land begonnen met de wederopbouw. De woningnood was evenwel nog steeds ongekend nijpend. Bijna ieder jong stel dat trouwde, moest jarenlang op een huis wachten of ging eerst bij ouders of schoonouders inwonen, wat vaak tot grote spanningen leidde. Er waren veel te weinig huizen en de huizen die er werden gebouwd, waren klein. Als veel mensen op elkaars lip moesten leven, ontstonden er gemakkelijk spanningen.
Zelf hadden ze eigenlijk best wel geluk gehad. Toen haar ouders trouwden, in de crisisjaren dertig, hadden ze al snel een huis gekregen in een van de vele straten van het oude gedeelte van Rotterdam-Zuid. Daar was Joke als oudste van de drie kinderen geboren. Vier jaar later was haar zusje Lies geboren en in de oorlogsjaren kreeg ze nog een broertje, Flip.
Die oorlogsjaren waren overigens een vreselijke tijd geweest voor het gezin. Vader Van der Sluis was terwijl zijn vrouw zwanger was, weggevoerd naar Duitsland, waar hij in een werkkamp tewerkgesteld was geweest. Daar had hij zoveel meegemaakt dat hij zo nu en dan last

had van onbeheersbare woedeaanvallen. Haar moeder was een stille, rustige vrouw, huisvrouw vanzelfsprekend. De ouders van haar vader woonden destijds beneden hen, het waren slechte en krappe huizen geweest. Beiden hadden de oorlogsjaren niet overleefd en Jokes moeder had voor haar schoonmoeder gezorgd in de tijd dat die ziek was en het afliep. Haar opa was door de Duitsers vermoord.

Maar haar vader had de verschrikkingen in Duitsland overleefd en had na de oorlog werk gevonden als politie-agent in de Rotterdamse haven. Toen niet veel later deze nieuwe huizen waren gebouwd, had het gezin door bemiddeling van de rivierpolitie zijn huidige woning toegewezen gekregen.

Dat was een hele vooruitgang geweest. Het huis was eind 1947 gereed gekomen, het had vier kleine kamers, en zelfs een douche. Dat was een luxe die nog lang niet in alle huizen gebruikelijk was.

Joke hijgde niet eens na het nemen van de trappen naar boven. Daar opende ze met een andere sleutel de deur van hun flat. Zelfs binnen was het koud. Ze huiverde nog, terwijl ze haar jas aan de kapstok hing en haar wanten, sjaal en muts opborg in de slaapkamer, die ze deelde met haar zus. Het was een klein kamertje, twee bij drie meter ongeveer, en met twee bedden en een kast erin was het kamertje tjokvol. Er was nog zo'n kamertje voor Flip. In de voorkamer stond een kachel en in de achterkamer, die door schuifdeuren van de woonkamer kon worden afgescheiden, stonden het opklapbed van haar ouders en de eettafel.

Haar moeder stak haar hoofd om de hoek van de keuken. 'Ben je daar eindelijk? Wij hebben niet gewacht met eten, hoor, maar er staat een prakje voor je op de kachel.'

'Lekker, ma. Ik moest hele stukken lopen vanwege de sneeuw.' Ze huiverde en strekte haar handen uit naar de brandende kolenkachel.

6

'Misschien kun je morgen beter met de tram naar je werk gaan?' opperde de oudere vrouw bezorgd. 'Het is een strenge winter.'

'Ik zie nog wel. De tram rijdt helemaal om en zit met dit weer tjokvol, zodat je toch de hele weg moet staan, op elkaar gepropt als haringen in een tonnetje. Ik moet bovendien overstappen en met de bus verder. Dan ben ik evengoed erg lang onderweg. En in de Maastunnel fiets ik droog.'

'Eerst eten,' knikte haar moeder.

Joke vouwde haar handen om voor het eten te bidden. Haar moeder zette het emaille schaaltje dat op de kachel had gestaan om het eten warm te houden, voor haar op tafel en ze schepte het eten op haar bord. 'Ik heb al afgewassen, dus je eigen spullen moet je straks zelf maar even afwassen.'

'Heeft pa avonddienst?'

'Ja, kind. Hij zal ook wel moeite hebben om vanavond thuis te komen. Het is een akelig strenge winter. Gelukkig kan het niet lang meer duren of het wordt uiteindelijk toch weer voorjaar. Ik ben al die kou zo zat. Het blijft in de keuken gewoon een ijskelder, zelfs al laat ik er alle gaspitten branden en doe ik zo veel mogelijk het gordijn voor de balkondeur dicht om de kou buiten te houden.'

'Lekker, hutspot,' smulde Joke. 'Waar is Lies gebleven?'

'Schaatsen,' bromde haar moeder. 'Ze kan er maar geen genoeg van krijgen.'

Nadat Joke haar prakje had opgegeten, gevolgd door een bord karnemelkse gortepap met stroop waar ze nog altijd, als was ze een kind, met een lepel stroop haar naam in schreef voor ze de stroop om de pap te zoeten erdoorheen roerde. Dat was lekker. Ze pakte haar spullen op toen ze klaar was met eten en verdween ermee in de keuken. Sinds kort hadden ze een geiser en dat was een groot gemak, want je kon zo een teiltje in de gootsteen zetten en

7

vol laten lopen met warm water, zonder eerst een ketel met water warm te moeten maken op het gasstel. Haar grootouders in Zwijndrecht kenden al die luxe niet. Daar stond nog gewoon een kolenfornuis in de keuken en een kachel in de kamer. Voordeel daarvan was natuurlijk wel dat het in de keuken in de winterdag ook warm was, en niet zoals hier zo koud dat je niet wist hoe hard je op moest schieten om de klus geklaard te hebben en terug te kunnen gaan naar de warme woonkamer.

Ze waste haar bord en bestek af, droogde alles af en borg het zorgvuldig op. Zelfs de keuken in huis was niet groot, net als haar slaapkamer twee meter breed en drie meter diep, met aan het eind een buitendeur naar het balkon dat ongeveer een meter diep was en twee meter breed. In de zomer konden er als de keukendeur open stond net een stoel en een krukje op het balkon staan, dan zaten vader en moeder vaak buiten. Vader rookte dan een sigaar en haar moeder soms een sigaret. Steeds meer vrouwen begonnen sigaretten te roken en zelfs broeken te dragen, al droeg haar moeder die alleen in de vakantie. Nu ja, wat heette vakantie? Bijna niemand ging immers met vakantie? Dat was iets voor verwende rijke mensen, maar niet voor mensen zoals zij. Wie net als zij in de stad woonde, ging op zijn best een dagje naar de dierentuin, naar het strand van Hoek van Holland met de trein of naar Oostvoorne met de stoomtram.

Zelf hadden ze geluk, want ze hadden familie wonen op het platteland, waar ze elke zomer twee weken naartoe gingen. De broer van haar moeder woonde in Numansdorp in de Hoeksche Waard. Oom Aad was getrouwd met een boerendochter daar en woonde nu met zijn vrouw en kinderen op de boerderij van haar ouders. Daar ging het gezin Van der Sluis elke zomer twee weken logeren, en in ruil voor de gastvrijheid hielp haar vader dan mee met de oogst. Meer vrije dagen had vader niet, en oom Aad was blij met een gratis paar helpende handen in de tijd dat het graan werd geoogst en op schoven moest worden gezet om te laten drogen op het land, of dat erwten op oppers moesten worden gezet, allemaal zwaar en stoffig werk. Maar vader scheen dat prettig te vinden. Zijn zwager had in de oorlog een paar maanden in een concentratiekamp gezeten voor hij daar als uitgehongerd man was bevrijd. Soms praatten die twee samen over die gruwelijke tijd, maar niet vaak. Het ophalen van die herinneringen was blijkbaar te pijnlijk, besefte Joke. Ze wist dan ook slechts in grote lijnen wat haar vader in die vreselijke tijd had meegemaakt.

Meer herinnerde ze zich van de tochten die ze met haar moeder hadden gemaakt naar de oom waar ze nu vakantie vierden, om er aardappelen en meel te halen. Vaak genoeg was het eten weer afgepakt als ze op de terugweg de Barendrechtse brug moesten passeren, waar de Duisters niet schroomden het eten en zelfs de fietsen in te pikken van de hongerende stadsbewoners.

Nadat ze zo eens de fiets kwijt waren geraakt, waren ze met de oude kinderwagen gegaan. Duitse soldaten hadden wel iets aan een fiets, maar niets aan een versleten kinderwagen! Maar haar oom had hen zodoende wel in leven weten te houden en zelfs hadden oom en tante nog een poosje een onderduiker in huis gehad, een Engelse vliegenier die ergens in de buurt van hun boerderij met zijn vliegtuig was neergestort, en waar het verzet hem toen na een tijdje verder had geholpen om terug te vluchten naar zijn land. Die vliegenier was na de oorlog nog weleens met zijn vrouw bij oom en tante Lijnie langs geweest om zijn redders te bedanken.

Ach, het was goed dat ze na de oorlog verhuisd waren naar dit nieuwe huis. Hier drukten de herinneringen niet zo op hen. Vader was zes maanden na de oorlog pas weer thuisgekomen. In de maanden na de bevrijding had hij overal en nergens een poosje gewerkt voor kost en inwoning, want geld om meteen naar huis te reizen had hij niet gehad. Niet lang na zijn thuiskomst had hij een baan gekregen bij de Rotterdamse rivierpolitie, omdat hij voor de oorlog jarenlang als knecht bij een binnenschipper had gewerkt, en via de politie was er voor betere huisvesting gezorgd.

Vader Van der Sluis ging net als Joke elke dag op de fiets de Maastunnel door, naar het bureau van de rivierpolitie vlak bij de tunnel.

Joke was blij met haar baan in het deftige naaiatelier aan de Westersingel, waar gegoede dames uit de stad hun kleren lieten naaien. Ze was er meteen na de huishoudschool al komen werken, al mocht ze toen nog niet veel doen, alleen spelden oprapen, schoonmaken en voor koffie zorgen. Wat later, toen ze twee dagen in de week naar de naaischool ging en op de andere dagen in het atelier in de leer was, mocht ze onder zorgvuldig toeziend oog van een meer ervaren naaister helpen met rijgen.

Twee jaar had die naaischool geduurd en daarna was ze in het atelier blijven werken en was ze langzaam uitgegroeid tot een naaister die helemaal zelfstandig opdrachten uit kon voeren.

Zoals voor meisjes gebruikelijk was, had Joke na de lagere school twee jaar huishoudschool gedaan. Lies had meer geluk gehad en had na lang zeuren naar de mulo mogen gaan, al was doorleren voor meisjes in de ogen van haar vader eigenlijk niet nodig omdat ze later toch zouden trouwen. Joke had op haar eigen aandringen de naaischool gedaan en daar veel van geleerd. Ze kon nu heel goed patroontekenen en was daardoor in staat kleding op maat te maken. Dat was een opleiding die haar vader wel nuttig achtte voor een meisje, want ook als ze trouwde, wat toch de natuurlijke bestemming van een vrouw was volgens de meeste mensen, was het gemakkelijk als ze haar eigen kleren en die voor haar kinderen zou kunnen naaien. Zuinigheid was immers een grote deugd voor een huisvrouw. Lies was inmiddels van school en werkte op het kantoor van een groot warenhuis.

'Zal ik koffie maken, ma?' vroeg Joke toen ze haar neus om de deur van de kamer stak, waar haar moeder genoegzaam de krant had opgepakt en in de stoel naast de kachel zat om die te lezen.

'Fijn, meisje. Dat zal me smaken. Misschien ga ik morgen wel erwtensoep koken. Ze geven nog meer sneeuw af, hoor ik net op de radio.'

De radio hadden ze nog maar sinds kort. Eigenlijk was dat een bedenkelijk apparaat, vonden de meeste mensen van de kerk. Er kwamen via de radio veel zondige dingen de huiskamers binnen, maar zelfs de strengste gelovigen moesten toegeven dat het handig was om het laatste nieuws en het weerbericht te horen. Lang niet iedereen had immers een krant, of lazen die pas een of meerdere dagen later via de buren. De radio was praktisch om vooral de weersberichten te horen. Als men niet luisterde naar afkeurenswaardige avondprogramma's als een hoorspel, dan kon een radio er nog wel mee door, maar dominees lieten niet na om er de nadruk op te leggen dat zondig vermaak en lichtzinnigheid maar al te gemakkelijk in huis kon komen om de mensen aan grote verleidingen bloot te stellen.

'Joehoe!' De deur ging open en even later kwamen Lies en Flip binnen, met rode wangen van de kou. Lachend omdat ze hadden genoten van het schaatsen. Flip legde zijn houten schaatsen op een krant voor de kachel te drogen. Lies had eindelijk voor haar laatste verjaardag de felbegeerde rondrijders gekregen.

'Heb je misschien chocolademelk voor ons?' vroeg ze aan haar oudere zus, die net de koffie voor haarzelf en moeder inschonk.

'Ja hoor. Neem dit maar vast mee, dan maak ik nog wel melk warm.' Ze pakte twee koppen en roerde suiker, cacao en een beetje water door elkaar tot een bruin papje. Toen de melk kookte, roerde ze die door de cacao. Niet veel later zaten ze met elkaar in de kamer. Lies vertelde over haar vriendin, van wie de ouders een bakkerswinkel hadden. Een rare snoeshaan kwam daar gisteren een hele doos gebak kopen zonder dat van tevoren te hebben besteld. De winkel moest alles bij elkaar in een doos doen en had urenlang niets meer kunnen verkopen aan anderen. Flip, die veertien was en na de ambachtsschool sinds een paar maanden bij een timmerman werkte, moest lachen. 'Een hele doos gebak! Tjonge! Wat moest die ermee?' 'Gewoonlijk geven mensen een dergelijke grote bestelling van tevoren door,' zuchtte Lies. 'Nu was er niets meer over in de winkel, zeker niet op een woensdag. Wie eet er uiteindelijk zomaar doordeweeks gebak? De meeste klanten op woensdag zijn de kinderen, die voor vijf cent snoep komen kopen. Duimdrop, zwartwit, noga en kauwgomballen. Dat is de gebruikelijke woensdagmiddagomzet.' Lies moest lachen. 'Wij hebben heerlijk geschaatst, hè Flip? O, chocolademelk!' 'Lekker, Joke. Als jij chocolademelk maakt, is die altijd veel zoeter dan wanneer ma die maakt.' Genoeglijk, dacht Joke in alle stilte terwijl ze kleine slokjes van haar koffie dronk. Een kaakje erbij, soms een plak ontbijtkoek besmeerd met boter, alleen op zondag waren er roomboterkoekjes. Net als alle andere mensen leefden ze zuinig. Niettemin hadden ze het niet zo heel erg krap. Alle drie de kinderen werkten immers al. De regel was dat ze de helft van hun verdiensten af moesten dragen aan hun ouders als bijdrage voor de huishoudpot, en dat ze een kwart van hun loon op een spaarbankboekje moesten zetten om te sparen voor later als ze zouden gaan trouwen. Het laatste kwart mochten ze dan houden. Daarvan moesten ze wel nieuwe kleren kopen, en alleen grote uitgaven als een nieuwe jas of schoenen werden nog door hun ouders betaald. Eigenlijk vond Joke dat laatste een beetje belachelijk, nu ze al eenentwintig was, maar zo waren de huisregels nu eenmaal en tot het moment dat ze ging trouwen, had ze geen andere keuze. Ze wist dat er meisjes speciaal in de verpleging gingen, voornamelijk om thuis weg te kunnen komen, want wie een verpleegstersopleiding volgde, moest intern wonen in het zusterhuis naast het ziekenhuis. Maar zij was bang voor bloed en ziekten, en de lucht in ziekenhuizen maakte haar misselijk. En ach, echt slecht had ze het niet. Het waren nu eenmaal de jaren van de wederopbouw en iedereen leefde zo zuinig mogelijk. Moeder spaarde momenteel om een nieuwe zegening van de moderne tijd te kunnen kopen: een stofzuiger. Dan hoefde ze niet zo vaak meer te zwabberen, want volgens moe was zwabberen niet veel meer dan stof verplaatsen van de ene plek naar de andere en hielp slechts grondig dweilen van het linoleum op de vloer om alles echt schoon te krijgen. In het midden van de kamer lag op het linoleum een smyrna kleed.

Flip vertelde gemoedelijk van wat kwajongensstreken op het ijs. Eindelijk kreeg Joke het lekker warm. Ze huiverde alleen nog maar als ze dacht aan het koude slaapkamertje dat haar straks wachtte. Al dagen stonden daar de ijsbloemen op de ruiten en ze moest elke avond smeken om een warme kruik mee naar bed te mogen nemen, want ma was altijd bang dat ze wintervoeten of kachelbenen zouden krijgen. Ze geeuwde. Het kamertje was nog onlangs door Lies opgesierd met platen van sterren als Elvis Presley en Pat Boone. Ze had goedbeschouwd geluk dat ze maar een zus had. Een collega van haar moest haar slaapkamer delen met vier zussen. De twee oudste meisjes sliepen samen in een tweepersoonsbed, de drie jongsten in het andere bed, om en om slapend zoals sardientjes in een blik lagen.

'Je moest er maar vroeg in kruipen,' knikte haar moeder. 'Grote kans dat je morgenochtend extra vroeg op moet om op tijd op je werk te komen. Ga je nog met de tram, Joke?'

Ze schudde het hoofd. 'Nee moe, ik kan inderdaad net zo goed met de fiets, of als er vannacht nog meer sneeuw valt, gewoon het hele eind gaan lopen. Dan doe ik er een uur over, zo ongeveer.'

'Dan moest je dat maar doen,' dacht de oudere vrouw. 'Dan kun je ook niet vallen. Met de fiets ben ik aldoor bang dat je lelijk terechtkomt en wat breekt.' Ze zuchtte. 'Er was vandaag een briefje van opa en oma. Oma voelt zich al een tijdje niet zo lekker. We zullen er ondanks het winterweer binnenkort toch weer heen moeten.'

HOOFDSTUK 2

Het was in de wintertijd altijd een hele onderneming als ze hun grootouders in Zwijndrecht op gingen zoeken. Van hun huis in Rotterdam-Zuid moesten ze dan een flink eind lopen naar de tramhalte, om vandaar naar het station te rijden. Vervolgens ging het dan met de trein naar Zwijndrecht en daarna weer lopen vanaf het station naar het huis van opa en oma, waar moeder en oom Aad waren opgegroeid. Zeker als ze met het hele gezin gingen, betekende dat tevens een flinke kostenpost, geld dat niet vaker dan een keer per maand of zelfs per twee maanden kon worden gemist. Als het zomer was, gingen ze dan ook zo veel mogelijk op de fiets.

Gelukkig hoefden vader en moeder over een paar maanden niet voor de grootouders op te gaan brengen. Er was een Algemene Ouderdomswet aangenomen, die erin voorzag dat oude mannen op hun vijfenzestigste jaar konden stoppen met werken en dan een pensioen van de regering kregen, waar door alle werkende mensen aan moest worden meebetaald. Daardoor hoefden werkende mannen niet langer voor hun bejaard geworden ouders en schoonouders te zorgen, wat voor gezinnen met opgroeiende kinderen in de afgelopen jaren vaak een te zware last was gebleken. Voor de bejaarden zelf was het ook beter dat zij niet langer hun handen op hoefden te houden bij hun kinderen, als ze niet meer in staat waren om te werken. Dat werd namelijk nogal eens als machtsmiddel gebruikt. En vanzelfsprekend waren er ook oude mensen die geen kinderen hadden gekregen en dus helemaal niemand hadden om op terug te kunnen vallen. Dan moesten ze tot voor kort blijven werken, ook al waren ze oud geworden en waren ze daar eigenlijk niet meer toe in staat.

Nu was er dus de Algemene Ouderdomswet, waardoor iedereen met werken mocht stoppen als de leeftijd van vijfenzestig jaar was bereikt, om daarna van staatswege een pensioen te ontvangen. In de volksmond heette dat 'trekken van vadertje Drees', genoemd naar minister-president Willem Drees, die zich zeer voor het tot stand komen van deze wet had ingezet.

Het gezicht van haar moeder stond zorgelijk toen ze na een reis van bijna anderhalf uur eindelijk bij oma en opa waren aangekomen. Het was zaterdagmiddag en vader Van der Sluis was vandaag vrij. Als agent bij de rivierpolitie werkte hij vanzelfsprekend in continue diensten. Soms had hij dagdienst, dan weer avonddienst of nachtdienst, niet regelmatig, dat wisselde nogal. Het zorgde vroeger vaak voor onrust in hun gezin, toen de kinderen alle drie op school zaten en vaak op hun tenen door het huis moesten sluipen als vader overdag moest slapen omdat hij 's nachts had moeten werken. Dan waren de schuifdeuren in de kamer dicht en moesten ze op hun tenen lopen en fluisteren, want als ze per ongeluk in lachen uitbarstten, werd vader daar wakker van. Soms stormde hij dan boos de kamer in om hen een gemene tik te verkopen, zodat ze er verder wel voor zouden waken hem nog eens uit zijn slaap te wekken.

Nu was hij vrij en omdat het zaterdagmiddag was, waren Joke, Lies en Flip dat ook. Oma was afgelopen woensdag jarig geweest, ze was vierenzestig jaar geworden. Ze waren vanwege de strenge winter wekenlang niet naar Zwijndrecht geweest. Opa Van Zetten hoopte in mei vijfenzestig te worden. Een dag waar hij met zijn totaal versleten lichaam reikhalzend naar uitkeek. Hij had problemen met zijn hart, kon eigenlijk niet meer werken, maar hij moest wel, anders was er geen brood op de plank. De oude man werkte als hovenier op de begraafplaats van Zwijndrecht, dus in het onderhoud van het groen, werk dat eigenlijk veel te zwaar voor hem was. Opa en oma dankten hun God elke dag voor die nieuwe wet, voor hen precies op tijd, die ervoor zorgde dat opa over een paar maanden mocht ophouden met werken. Oma was alle dagen dat hij wegging bang dat haar man niet meer levend thuis zou komen.

De ogen van oma Van Zetten begonnen te glanzen toen het gezin van hun dochter het oude huis binnenkwam waar het tweetal woonde. Gelukkig had het oude echtpaar een slaapkamer beneden. Het huis bezat nog een ruimte waar vroeger twee bedsteden waren geweest. Met deuren naar de woonkamer en de slaapkamer, die vroeger een bijna nooit gebruikte mooie kamer was geweest en waar de twee oude mensen nu in een smal, houten tweepersoonsbed sliepen. Opa had door zijn hartkwaal vaak opgezette voeten en was meestal erg moe. Als hij niet werkte zat hij vaak lusteloos in zijn leunstoel naast de kachel, of hij lag in bed omdat hij zulke dikke voeten had. Dat kwam dan weer door zijn slechte hart, waardoor het lichaam vocht vasthield, en daardoor werden dan die voeten weer dik, of hij kreeg het benauwd omdat er vocht achter zijn longen zat.

Oma was evenmin gezond, en Joke wist niet beter of haar oma had al heel lang suikerziekte. Twee keer per dag kwam de wijkverpleegster langs om oma een gemene prik met insuline te geven, soms in haar buik, maar meestal in haar bovenbeen. Als ze vroeger bij oma logeerde, had ze die bovenbenen van oma weleens gezien. Helemaal blauw, kapotgespoten van die gemene prikken! Maar als oma die prikken niet kreeg, ging ze dood. Bovendien mocht oma nooit iets zoets eten, moest ze alles wat ze verder at precies afwegen, moest ze eigenlijk elke dag een gekookt eitje hebben van de dokter, en het liefst roomboter op haar brood. Maar dat konden ze natuurlijk niet betalen, dus daar werd nogal eens de hand mee gelicht. Zo nu en dan belandde oma in het ziekenhuis omdat haar suiker ontregeld was en ze had altijd een suikerzakje bij zich, want soms verloor ze het bewustzijn en dan moest ze juist weer wel suiker hebben. Alle buren wisten dat, dat was wel een geruststelling.

Oma Van Zetten kreeg tranen in haar ogen toen ze haar dochter en schoonzoon omhelsde en vervolgens de drie kleinkinderen, haar lust en haar leven. Joke kreeg het nog altijd een beetje benauwd van die overstelpende liefde, al had ze vroeger als kind wel graag hier gelogeerd omdat ze hier zoveel meer buiten kon zijn dan thuis in de stad. Opa en oma hadden een tuin met een appelboom erin, ze verbouwden er sla en boontjes en zelfs wat aardappelen. Opa moest altijd houtjes hakken voor het fornuis en meer van die gezellige dingen die ze thuis niet kenden.

Vanzelfsprekend hielp ze samen met ma hun oma met het maken en inschenken van de koffie. Ma had een cake meegenomen om de dag iets feestelijks te geven, voor oma als verjaarscadeautje twee nieuwe theedoeken die ze goed gebruiken kon, en een paar gekookte eieren om op te eten, zodat oma toch ook iets lekkers had nu ze vanzelfsprekend de cake moest laten staan. Niet veel later kwamen er een paar buren binnen en werd het al snel gezellig in het kleine huis. Die buren waren belangrijk voor de twee oude mensen. Die keken dagelijks een beetje naar hen om, nu hun kinderen zo ver weg woonden.

Ze bleven tot na het avondbrood en het was dus al donker geworden toen ze met elkaar naar het station liepen om terug naar de stad te gaan.

'Je vader ziet er niet goed uit,' verzuchtte vader Van der Sluis tegen zijn vrouw. Zijn eigen ouders leefden al jaren niet meer. Opa Van der Sluis was in de oorlog zomaar op straat door de Duitsers doodgeschoten en oma was een jaar later gestorven, van verdriet naar iedereen zei, maar ze was toen ook bijna aldoor ziek geweest. Ze had gewoon niet verder willen leven in haar eentje, en ze had maar één kind, dat toen in Duitsland tewerkgesteld was. Het was niet gebruikelijk om zo'n kleine familie te hebben, wist Joke. Soms vond ze dat jammer. Bij hen in de straat woonde een groot, gezellig gezin met acht kinderen en daar kon altijd alles. Ze hadden er zelfs sinds kort een televisietoestel. Hun vader moest wel kapitalen verdienen om dat te kunnen betalen, maar het gezin zette op woensdagmiddag de deur open voor alle kinderen van de straat, die dan rijendik op de grond zaten om naar Pipo de Clown te komen kijken. Ja, er veranderde veel in deze jaren na de oorlog. Zelfs in hun eigen straat was al een enkele auto verschenen! Gelukkig niet veel, anders zouden de kinderen niet langer veilig op straat kunnen spelen. Kinderen speelden vaak op straat. Bokkie springen, puttenloop en diefie met verlos waren geliefde spelletjes die Joke zelf ook graag had gedaan. Knikkeren, tollen en steltlopen ook; Lies had die oude houten stelten nog maar kort geleden weggegeven.

Joke was moe toen ze eindelijk weer thuis waren. Haar moeder beloofde voor allemaal nog een beker warme anijsmelk te maken, en ze kregen er een dikke plak ontbijtkoek bij. De sneeuw van de afgelopen dagen was weggedooid, maar er woei een gure, felle wind, die het evengoed en op een andere manier koud maakte dan eerder deze week met de vorst en de sneeuw.

De winter was streng geweest, iedereen snakte naar het voorjaar. Ze genoten van de anijsmelk en moeder roerde nadenkend het vel van de hete melk. 'Het gaat niet goed met vader,' zei ze peinzend tegen haar man, 'maar over een dikke drie maanden krijgt hij zijn pensioen en kan hij het rustig aan gaan doen. Wat een zegen, die nieuwe wet.' Vader Van der Sluis knikte ernstig. 'Voor alle mensen. Ook ik weet dat ik over twintig jaar met werken mag stoppen en mogelijk wel eerder, want voor politieagenten wordt een pensioen opgebouwd dat bovenop de AOW komt. AOW alleen is bepaald geen vetpot, vrouw, maar wel een vaste bron van inkomsten waar mensen van kunnen eten en de huur van kunnen betalen. Dat geeft al heel veel rust. Bovendien zitten je ouders in het ziekenfonds, zodat er nooit zorgen zijn of de dokter wel kan worden betaald of

niet. Het is allemaal veel beter dan vroeger.'
'Daar heb je gelijk in,' antwoordde zijn vrouw opgelucht, terwijl Joke hartgrondig geeuwde. Lies en Flip zaten inmiddels over het damspel gebogen. Zaterdagavond was nu eenmaal bij hen, net als in veel andere gezinnen, de avond dat er spelletjes met elkaar werden gedaan. Maar het was inmiddels bijna negen uur geworden en zelf zou ze het liefst gaan lezen. Vader had daar altijd moeite mee. Dan begon hij iedere keer tegen haar te praten omdat hij het ongezellig vond als ze in de kamer zat te lezen. Vreemd genoeg mocht ze hem echter nooit storen, als hij vlak voor het avondbrood in zijn leunstoel bij de kachel zat, met een pijp opgestoken, om de krant uit te spellen. Meestal trok ze zich terug in de meisjesslaapkamer als ze rustig wilde lezen. Ze ging dan in bed liggen, want stilzitten in een onverwarmde kamer in de winter was geen pretje, dan kwam je later niet meer in slaap omdat je voeten niet meer warm wilden worden. Ze las graag, maar haar ouders vonden dat eigenlijk maar onzin. Op school kon Joke uitstekend meekomen. Ze had heel graag naar de mulo willen gaan, zoals Lies later, maar dat had haar vader destijds niet goed gevonden. Flip, dat was een jongen, die moest later een gezin onderhouden, als die door had willen leren had hij daar geen bezwaar tegen gehad, maar dat was niet het geval geweest. Flip wilde naar de ambachtsschool en was timmerman geworden. Hij was handig. Als jongetje speelde hij al het liefst met zijn meccanodoos. Doorleren voor meisjes had haar vader onzin gevonden, want die trouwden toch en het hoogste dat een meisje bereiken kon, was een goede moeder en huisvrouw worden. Daartoe was de huishoudschool dus de beste opleiding. Daar gingen verreweg de meeste meisjes dan ook naartoe als ze de lagere school doorlopen hadden. Lies had verschrikkelijk moeten zeuren om naar de mulo te mogen gaan. Jongere kinderen waren wat dat betrof vaak beter af dan het oudste kind,

had Joke soms jaloers gedacht.

Maar ze zocht graag compensatie in het lezen. Ze ging geregeld naar de bibliotheek, want boeken kopen kon maar zelden. Ze vroeg boeken cadeau als ze jarig was, maar kreeg dan lang niet altijd de boeken die ze graag wilde hebben: boeken over geschiedenis, over het oude Egypte, over oude Indiaanse culturen, over de streek waar de Bijbel haar oorsprong had en waar culturen hadden gebloeid in Ur der Chaldeën en Babylon, steden die ook in de Bijbel voorkwamen.

Haar ouders vonden het maar niets dat ze zich daarin verdiepte door er boeken over te lezen. Ma probeerde haar dan altijd aan het naaien te krijgen. Als ze niet oppaste moest ze, nadat ze thuis was gekomen uit het atelier waar ze werkte, kleren naaien voor haar moeder, voor haar zus, en vorig jaar zelfs voor oma Van Zetten. Er lag zodoende thuis altijd naaiwerk op haar te wachten, maar dat betekende niet dat haar zus Lies meer taken had in het huishouden dan Joke. De meisjes moesten elke dag afwassen en Flip moest altijd de kolenkit vullen, beneden in de kelder, omdat dit meer als mannenwerk werd beschouwd.

Joke stond op toen haar beker leeg was. 'Ik ga in bed nog wat lezen, moe.'

'Wat een onzin, al dat gelees! En waarvan ben je moe?' vroeg haar vader met fronsende wenkbrauwen.

'Ik heb vanmorgen op het atelier gewerkt, en we zijn naar Zwijndrecht geweest. Ik wil nu het liefst lekker in bed liggen lezen.'

'Onzin,' vond haar vader, 'allemaal flauwekul. Je kunt je beter nuttig maken in plaats van je altijd maar af te zonderen in de meisjeskamer en met je neus in de boeken te zitten.'

Ze geeuwde nog maar eens hartgrondig. 'En toch ga ik naar bed.' Haar eigenwijsheid, zoals haar ouders dat beschouwden, leverde haar een boze blik van haar vader op en een waarschuwende van haar moeder, dat ze het niet te ver moest drijven.

Ze lag in bed, niet veel later, maar kon haar aandacht niet bij het boek houden. Haar gedachten dwaalden af. Was dit nu het leven waar ze naar verlangde? Nee, wist ze. Ze was eenentwintig. Veel meisjes van haar leeftijd waren al getrouwd, zij zelf had nog niet eens verkering. En wat als ze trouwde? Dan zou het leven niet veel verschillen van dat van haar moeder nu. Kinderen krijgen, het huishouden doen, als het meezat kreeg ze de ruimte om wat kerkenwerk te doen of zo, dat hing van de man af. Vrouwen werden ontslagen als ze trouwden, wat voor werk ze ook deden. En het soort leven dat een vrouw zou krijgen hing ook sterk af van het beroep van de man. De vrouw van een eenvoudig werkman had het nu eenmaal veel zwaarder dan de vrouw van een man met een goede kantoorbaan.

Joke zuchtte. Ach, ze had geen man en die zou ze nog lang niet hebben, want ze hield van niemand en erger nog, anders dan Lies was ze zelfs nog nooit verliefd geweest!

Ze liet het boek maar voor wat het was en knipte het lampje boven haar bed uit. Ze was inderdaad moe. Ze ging lekker slapen!

'Jij moet maar gaan helpen, anders weten wij het ook niet.'

Joke keek verbaasd van haar vader naar haar moeder. 'Maar ik kan toch niet zomaar halsoverkop vertrekken? Wat zal mijn baas daar wel niet van zeggen?'

Haar vader keek zijn oudste dochter geërgerd aan. 'Oma is in het ziekenhuis opgenomen omdat haar suiker ontregeld is, en opa kan niet voor zichzelf zorgen. Iemand moet daar dus gaan helpen.'

'Kan opa niet bij de buren mee-eten?' vroeg ze bedremmeld. 'Tot oma weer thuiskomt?'

'Wil je soms zeggen dat je je te goed voelt om je eigen

grootouders te verzorgen, nu die oude mensen in de problemen zitten?'
Joke kreeg er een kleur van. 'Nee, natuurlijk niet, pa, maar ik kan toch niet zomaar halsoverkop ontslag nemen?' verdedigde ze zich. 'Ik werk al jaren in het atelier en doe dat met plezier.'
'Het lijkt ons het beste, Joke,' deed haar moeder nogmaals een beroep op haar. 'Gisteren kregen we een telegram van opa dat oma niet lekker was geworden en dat ze in het ziekenhuis moest worden opgenomen. Toen hij klaar was met werken is hij nog helemaal naar Dordrecht gelopen om oma op te zoeken. Hij werd onwel van vermoeidheid toen hij weer thuis was en de buren hebben de dokter nog laten komen omdat ze zich ongerust over hem maakten. We vrezen allemaal dat er iets mis met hem gaat als hij dat dagelijks gaat doen met zijn zieke hart. Er moet een oplossing komen en je vader en ik weten geen andere te bedenken, dan dat jij bij hen in huis trekt om de huishouding te doen tot oma weer thuis is en zover is opgeknapt dat ze zelf weer alles kan doen. Bovendien kun jij oma dan elke middag op gaan zoeken in het ziekenhuis, zodat opa na zijn werk uit kan rusten. Oma hoeft zich dan geen zorgen om hem te maken en ze zal blij zijn jou te zien en even aanspraak te hebben met iemand anders dan een verpleegster. Opa mag in mei stoppen met werken, dat is tenminste een zegen en een zorg minder voor je vader en mij. We kunnen de oude mensen niet zomaar aan hun lot overlaten.'
'Je moeder kan hier niet gemist worden,' viel haar vader zijn vrouw bij.
Joke besefte dat ze dit niet zou kunnen weigeren. 'Goed dan,' mompelde ze. 'Ik ga morgenochtend als altijd naar het atelier. Ik weet dat mijnheer dan zelf in de winkel beneden is, en ik zal hem uitleggen wat er aan de hand is. Hopelijk kan ik dan een paar weken onbetaald verlof krijgen, en mag ik terugkomen als opa en oma zichzelf

weer kunnen redden.'

'Zo niet, dan zoek je maar ander werk,' vond haar vader nogal gemakkelijk. 'Er is overal een gebrek aan goede mensen, dus dat hoeft geen probleem te zijn.'

'Het is prettig in het atelier. Juffrouw Clemens is meestal zuur en chagrijnig, maar ze laat mij zelfstandig werken en dat vind ik fijn. Ik werk er graag.'

'Je blijft daar toch niet je hele leven? Je zult best nog wel eens trouwen.'

'Goed dan.' Ze hield met moeite een zucht binnen. 'Ik ga mijnheer morgenochtend vertellen wat ik moet doen en kom dan naar huis om mijn spullen te pakken en naar Zwijndrecht te gaan,' beloofde ze tegen wil en dank. Ze begreep natuurlijk best dat haar grootouders niet aan hun lot konden worden overgelaten, maar dat zij er haar werk eventueel voor op moest geven, was toch wel veel gevraagd. Waarom ging haar moeder niet, dacht ze opstandig. Omdat haar vader wilde dat zij voor hem zou zorgen en dat haar belangrijkste taak vond, wist ze.

Gelukkig was haar baas een geschikte kerel die haar ernstig aankeek, de volgende morgen toen hij om negen uur de winkel had geopend en Joke hem bedremmeld vertelde dat ze iets met hem moest bespreken. Ze legde hem de onvoorziene problemen van haar grootouders uit en vroeg timide of ze misschien en paar weken onbetaald verlof kon krijgen, omdat haar ouders erop stonden dat zij hen ging helpen.

De oudere man keek haar vorsend aan. 'En als ik nu zeg dat ik je evenmin kan missen, Joke?'

Ze kreeg prompt tranen in haar ogen. 'Dan moet ik op staande voet ontslag nemen van mijn vader. Hij zegt dat ik wel weer ander werk kan vinden als mijn grootouders weer beter zijn, maar ik werk graag voor u, mijnheer.'

De ander moest glimlachen. 'Wel, ik meende het toen ik zei dat ik je eigenlijk ook niet kan missen, want juffrouw Clemens is uitermate tevreden over je. Ze zegt dat je een goede naaister bent worden, vooral omdat ze je in de afgelopen jaren zelf heeft opgeleid. Maar ik begrijp wel dat jij klem zit tussen twee zaken.'

'Ja mijnheer. Ik heb daar zelf niet om gevraagd.'

'Ik geef je vrijaf tot je weer terug kunt komen,' beloofde hij grootmoedig. 'Het is over twee weken Pasen. De meeste voorjaarskleding is klaar en afgeleverd. We doen het wel een paar weken zonder jouw hulp, als je maar belooft dat je terugkomt zodra dat weer kan.'

'O ja mijnheer, graag zelfs mijnheer, en dank u wel, mijnheer,' mompelde ze terwijl de immense opluchting zich op haar gezicht aftekende.

Hij moest lachen. 'Zeg het maar tegen juffrouw Clemens. En je moet zeker meteen vertrekken van je ouders?'

Ze knikte. 'Ik moet mijn fiets thuisbrengen en meteen mijn koffer pakken. Mijn moeder gaat mee en gaat vanmiddag oma opzoeken in het ziekenhuis en aan de dokter vragen hoe erg het is en hoelang oma daar moet blijven, maar ze gaat vanavond weer naar huis.'

Juffrouw Clemens keek zuinigjes, zoals te verwachten was, toen Joke haar vertelde dat ze door omstandigheden binnen haar familie meteen moest vertrekken en dat ze mogelijk over een maand of misschien zelfs nog iets langer pas weer terug zou kunnen komen.

'Vindt mijnheer dat werkelijk goed?' De cheffin van het atelier keek alsof ze er niets van geloofde. Juffrouw Clemens was beslist niet de gemakkelijkste, maar als je je werk goed deed en ijverig was, zag ze een en ander door de vingers, en ze was erg goed in haar vak, dat was wel het belangrijkste. Streng maar rechtvaardig, meende Joke. En ze kon erg goed met de soms verwende en lastige dames omgaan, als die wilden verhullen dat ze weer dikker waren geworden sinds hun de vorige keer de maat was genomen. Joke besefte vooral dat de juffrouw iemand was van wie ze de fijne kneepjes van het vak zou kunnen leren. Zou ze de pech hebben om zelf nooit te trouwen, dan kon ze altijd nog als bekwaam naaister een onafhankelijk bestaan opbouwen. Maar ze hoopte diep in haar hart dat het nooit zover zou hoeven komen. Eens, hield ze zich voor terwijl ze stevig doortrapte naar huis, zou ze wel iemand ontmoeten.

Bij de Maastunnel was het inmiddels veel rustiger geworden. Vlak voor kantoortijd was het daar altijd zo druk met fietsers die de lange roltrappen af moesten om door de fiets- en voetgangerstunnel onder de rivier door te komen, dat er politie te paard aan te pas kwam om alles in goede banen te leiden, en als 's avonds iedereen weer naar huis ging, was dat opnieuw het geval. Veel mensen die op Zuid woonden, werkten in het centrum van de stad of in de havens, en bijna allemaal gingen ze op de fiets naar hun werk, want alle dagen een bus of tram nemen was veel te duur, dat deden de meesten alleen als het weer bar en boos was. Wel waren er grote bedrijven, bij verder weg gelegen havens, die hun werknemers met bedrijfsbussen uit de stad ophaalden.

Ze had een rode kleur toen ze thuiskwam. 'Ik heb al wat spullen ingepakt,' vertelde moeder voortvarend. 'Je kleren moet je nog even nakijken. Er ligt nog het een en ander klaar op je bed. Je hebt daagse kleren aan en moet een ander stel meenemen, met natuurlijk je zondagse kleren. Je ondergoed moet je zelf maar pakken, en vergeet je tandenborstel niet. Volgende week moet je bovendien ongesteld worden, dus zorg dat je daarvoor je doeken inpakt. Je psalmboek heb ik ook al klaar gelegd.'

Joke keek de stapeltjes na, legde er nog twee boeken bij, pen en papier, en nog een extra paar kousen. Ze moest het er maar mee doen. Ze keek in haar portemonnee. Er zat nog een paar gulden in. Ze had nog een briefje van tien gulden en een zilveren rijksdaalder in een doosje liggen, dat stopte ze eveneens in haar portemonnee. Haar tandenborstel en tandpasta. Zeep, de tube gezichtscrème die ze gebruikte, tot ergernis van haar vader die het pure ver-

spilling vond om geld uit te geven aan het verfraaien van het uiterlijk, de poeder en de lippenstift die ze soms gebruikte. Ziezo, nu zou ze zich wel redden. Ze keek het kamertje rond. Vreemd dat ze niet wist wanneer ze terug zou komen. Het voelde toch heel anders dan de jaarlijkse vakantie naar Numansdorp. 'Moe, ik ga, nu ik erover nadenk, het liefst op de fiets,' liet ze toen weten. 'Dan kan ik in Zwijndrecht een beetje uit de voeten: naar de markt, maar ook sneller naar het ziekenhuis in Dordrecht. De sneeuw en kou zijn weg, al is het nog niet echt voorjaar.' 'De kruidenier zit bij oma aan de overkant,' zei haar moeder. 'Die schrijft ook alles voor haar op. Daar heb je geen fiets voor nodig. Verder komt alles aan de deur. Bakker, melkboer, groenteboer. Zelfs de schillenboer en de olieboer met petroleum. Dat is daar net zo als hier.'
'Dan blijft er nog genoeg over waarbij het handig is om mijn fiets daar te hebben. Met het openbaar vervoer doe ik er bijna net zo lang over en het is droog. Er staat niet al te veel wind.'
'Nu ja, net wat jij wilt. Het is goedkoper dan met de trein, dat wel. Dan ga ik wel alleen en zie ik je later bij oma.'
Ze bond haar koffer met kleren tussen haar snelbinders. Moeder nam de andere koffer mee.
Het fietsen deed haar goed, besefte Joke toen ze later door het dorp Rijsoord reed, op weg van Rotterdam-Zuid naar Zwijndrecht. Hier moest je altijd opschieten, want er stond een vlasfabriek en daardoor stonk het in dat dorp meestal een uur in de wind.
De wind woei door haar haren. Vanuit Rijsoord reed ze een kwartiertje later Zwijndrecht binnen. Ze was inderdaad ruim een uur onderweg geweest, mogelijk was ze er nog eerder dan haar moeder met de trein. Als haar ouders genoeg gespaard hadden om een stofzuiger te kopen, wilde haar vader gaan sparen voor twee solexen, zodat ze vaker tochtjes konden maken in de omgeving van de stad. Zelf zou ze ook wel een solex willen hebben, maar die

waren duur en vader stond erop dat ze voorlopig spaarde voor haar uitzet.

Ze stapte eindelijk van haar fiets, met een tintelend gevoel van vrijheid. Joke liep achterom en zette het vehikel in het schuurtje, waar opa ook altijd de kachelhoutjes hakte. Daarna liep ze de deur binnen van de bijkeuken, waar ook het toilet was, door de smalle keuken en dan stond ze in de woonkamer.

Opa was er niet. Oma vanzelfsprekend ook niet. Haar moeder was er evenmin. Eigenlijk was het een wonder dat de deur open was. Nauwelijks had ze haar koffertje neergezet of de buurvrouw, die door iedereen in de straat tante Koosje werd genoemd, keek om de hoek. 'Fijn dat je bent gekomen. Buurman wordt het allemaal te veel.'

Joke knikte. 'Ik verbaasde me erover dat de deur open is, nu er niemand thuis is.'

'Ach, je grootouders sluiten nooit af.'

Dat was waar. Bij bijna alle mensen was de achterdeur overdag altijd open en bij de meeste mensen die op het platteland woonden of in een dorp, ging de deur zelfs 's nachts niet op slot. Dat deed opa overigens altijd wel.

'Ik heb gisteren het telegram verstuurd. Je grootvader was helemaal niet goed na de lange dag werken en het bezoek aan je grootmoeder, dus ik dacht wel dat er vandaag iemand komen zou,' vertelde de buurvrouw.

'Ik blijf voorlopig hier en mijn moeder is ook onderweg. Ze zal zo wel komen en dan kunnen we vanmiddag oma opzoeken en misschien de dokter of een zuster spreken om te horen wat er precies mis is, en natuurlijk vragen of ze al weten hoelang oma daar moet blijven.'

'Ze was bewusteloos en lag op de grond. De wijkzuster vond haar toen ze haar kwam spuiten. Mijn oudste jongen moest tussen de middag zo uit school naar de begraafplaats gaan om je grootvader te waarschuwen. Gelukkig mocht hij toen weg van zijn baas.'

Op datzelfde moment stapte haar moeder ook binnen.

'Fijn, je bent er al. Buurvrouw, weet u misschien hoe laat het bezoekuur is en op welke zaal mijn moeder ligt?' De gegevens werden uitgewisseld. Het was inmiddels bijna twaalf uur geworden. Opa zou zo wel komen om te kijken of er wat te eten was. Joke merkte dat haar eigen maag ook rammelde. 'Het kan niet anders dan dat hij nu brood moet eten,' besliste moeder. 'Kook vanavond maar warm voor opa en jezelf, kind. Dek de tafel maar vast, Joke.'

Ze zette drie borden op het zeiltje dat op de kleine keukentafel lag, haalde boter, worst, kaas en stroopvet tevoorschijn. Veel anders was er niet in huis. Opa en oma waren dankbare mensen die blij waren dat ze voldoende te eten hadden, anders dan vroeger tijdens de crisis, toen opa een poos in de steun had gelopen, en in de oorlog, toen ze zelfs weleens tulpenbollen hadden moeten eten omdat er niets anders meer was.

Ze leefden eenvoudig en tevreden.

Joke pookte het nog smeulende fornuis op. Gelukkig brandde het vuur even later weer lekker. Ze schoof een ketel boven het gat en spoelde de theepot om. Niet veel later stapte de oude man de keuken binnen. Moeder en dochter schrokken beiden van zijn grauwe gezicht.

'O, gelukkig zijn jullie er,' zuchtte hij met grote opluchting. 'Kom zitten, vader. Misschien moet ik me nog meer zorgen om u maken dan om moeder,' zuchtte moeder Van der Sluis bezorgd. Ze zaten met zijn drieën aan tafel. Gelukkig mankeerde er niet veel aan de eetlust van de oude man. 'Ik ben moe. Oud en der dagen zat, zoals ze weleens zeggen. Ik tel de dagen af dat ik nog moet werken en niemand weet hoe dankbaar ik vadertje Drees ben, dat ik straks elke maand wat centjes van de staat krijg, verdiend na een lang en werkzaam leven. Vanaf mijn twaalfde jaar heb ik mijn rug krom gewerkt, dat is drieënvijftig lange jaren, kinderen. Alleen in de crisisjaren heb ik een paar keer in de steun gelopen. In de oorlog waren er meer dan genoeg

doden te begraven. Maar nu ben ik op.'
'U bent gistermiddag bij moeder geweest,' probeerde zijn dochter hem van zijn sombere gedachten af te leiden.
'Ja, ja, ze had niet goed gegeten, geloof ik, was misselijk en had gebraakt. Je weet dat suikerpatiënten dan gemakkelijk in coma kunnen raken. Het is wel eerder gebeurd, maar toen kwam ze weer bij nadat ik haar wat suiker op de tong gaf.'
Suikerziekte was een gevaarlijke ziekte, wist Joke. Er gingen geregeld mensen aan dood, en oma had het al meer dan twintig jaar. Ze had geluk gehad. Toen zij destijds ziek werd, was er sinds enkele jaren insuline beschikbaar gekomen. Voor die tijd overleden mensen met deze ziekte er altijd aan.
'Ik ga vanmiddag samen met Joke naar het ziekenhuis, dan hoeft u niet te gaan, vader, en Joke blijft hier om voor u te zorgen tot moeder weer thuis is en helemaal is opgeknapt. En ik heb bericht gestuurd naar Aad en Lijnie in Numansdorp. Ik heb geschreven dat ik hoop dat ze u en moeder zaterdag opzoeken, want als ze door de week komen, bent u toch aan het werk.'
De oude man keek haar met gefronste wenkbrauwen aan.
'Dat zou fijn zijn. Ik vroeg me al af of ik hun schrijven moest, maar je weet het, daar ben ik geen held in. Vroeger veel te weinig naar school geweest omdat ik meestal mee naar het land moest.' Hij zuchtte en keek naar Joke. 'Ik ben erg blij dat jij komt helpen, kindje, maar het is wel een opoffering voor je.'
'Valt wel mee, hoor,' stelde ze hem haastig gerust. 'Ik mag gewoon bij mijn baas terugkomen als ik hier niet meer nodig ben.'

HOOFDSTUK 3

Het was nog kil geweest op die maartdag dat ze zo onverwacht naar Zwijndrecht had moeten vertrekken. Vooral de wind was guur geweest, maar de lente kondigde zich in de dagen die volgden overal aan en na de lange en strenge winter die het land in de greep had gehouden, snakten alle mensen naar lekker warme en zonnige voorjaarsdagen. Inmiddels was het weer eindelijk omgeslagen en konden de mensen zich koesteren in een heerlijk zonnetje.

Joke fietste op die donderdag genietend over het pad langs de kleine rivier vlak bij Zwijndrecht die de Devel heette. Ze was nu een week in huis bij haar grootouders en oma knapte langzamerhand weer op. Als er niets tussen kwam, zou ze waarschijnlijk volgende week weer naar huis mogen. Joke miste haar werk op het naaiatelier best, maar aan de andere kant vond ze het eigenlijk wel plezierig om de hele dag haar eigen gang te kunnen gaan en het huishouden voor opa te doen.

Opa ging elke morgen al vroeg de deur uit. Als hovenier moest hij om zeven uur beginnen en hij moest zeker twintig minuten lopen om van zijn huis naar zijn werk op de begraafplaats te komen. Hij nam dan klaargemaakte boterhammen mee. Ze stonden om zes uur op. Joke maakte koffie voor hem, smeerde zijn brood en kookte een bord havermoutpap voor hem. Dat was stevige kost waarop gewerkt kon worden. Als haar grootvader weg was, waste ze zich bij de keukenkraan. In deze tijd van het jaar zou het onzin zijn om water warm te maken om zich te wassen. Een geiser was hier in het oudere huis, dat ongeveer in 1915 was gebouwd, niet. Een douche al helemaal niet. Als ze gewassen was, kleedde ze zich aan op de zolder, waar het logeerbed stond bij de koekoek. Daar had ze als kind veel gelogeerd, dus dat was best vertrouwd. Daarna ging ze weer naar beneden en maakte ze het huis aan kant, ging ze zo nodig even naar de kruidenier en tussen de middag bleef opa op de begraafplaats om zijn meegenomen brood te eten, omdat hij het te vermoeiend was gaan vinden tussen de middag naar huis te komen en dan na het eten ook weer het hele eind terug te lopen. Hij vond het nog altijd niet prettig om 's avonds warm te eten. Zijn hele leven had de warme maaltijd tussen de middag op tafel gestaan. Maar dat duurde nog maar voor een paar weken, want na zijn verjaardag begin mei mocht hij eindelijk stoppen met het zware werk, dat hij eigenlijk al jaren niet meer aankon. Voor het eerst besefte het meisje hoe zwaar de oude dag mensen kon vallen.

Vroeg in de middag fietste ze dan dagelijks over de brug naar Dordrecht, om oma op te zoeken in het ziekenhuis. Ze was er in een kwartiertje en prees zichzelf alle dagen gelukkig dat ze haar fiets hier had. Als ze had moeten gaan lopen, kostte het haar bijna drie kwartier. Dat had ze zondagmiddag na de kerkdienst samen met opa gedaan. Het was aandoenlijk om te zien hoe beide oude mensen elkaar misten nu ze elkaar een aantal dagen niet hadden gezien. Het was een rustig leventje, besefte ze, dat haar grootouders leidden.

Nu was het donderdagmorgen. Ze was al om acht uur naar de markt geweest. Ze had zelfs wat van haar eigen geld bijgelegd, want haar grootouders hadden niet veel te besteden. Ze leefden zuinig en bescheiden, maar waren daar tevreden mee. Veel eisen stelden ze niet aan het leven. Ze gingen trouw op zondag twee keer naar de kerk. Saai? Voor oude mensen waarschijnlijk niet. Rustig was het zeker, te rustig voor een jonge vrouw als Joke, besefte ze.

Ze miste haar familie. Vreemd, als ze erover nadacht hoe graag ze zich thuis afzonderde om rustig te kunnen lezen. Ze miste haar collega's, misschien zelfs de zure juffrouw Clemens! Verder leidde ze zelf feitelijk ook best een rustig leventje. Echte vriendinnen had ze niet. Andere jonge mensen gingen met elkaar op zaterdagavond ergens dansen. Zij niet. Zij had weliswaar dansen geleerd van Lies, maar ze had nooit dansles gehad. Dat was te duur geweest, maar Lies had goedkoop les gekregen via school. Bovendien was vader erg beducht voor moderne ontsporingen, zoals rock and roll, zangers die zich in zijn ogen geweldig aan stonden te stellen op het podium. Voor Kerstmis waren ze met het hele gezin naar de film geweest. Sissi, een romantische film waar ze erg van genoten had, al vond haar vader het maar gezwijmel, en Flip was het met hem eens, maar ma en Lies hadden er net zo van genoten als Joke zelf.

Ze was dus meestal gewoon thuis. Misschien kwam het daardoor dat ze nog nooit verkering had gekregen? Op de huishoudschool waren enkel meisjes geweest, op haar werk werkten ook alleen maar meisjes. Mijnheer van het atelier had weliswaar twee zoons, maar dat waren jongens van twaalf en veertien jaar. Ze schoot stilletjes in de lach. Op zaterdagavond deden ze thuis spelletjes. Dammen, kaarten, domino of mens-erger-je-niet, dat soort dingen. Dan kregen ze een koekje bij de koffie en mochten ze soms pinda's pellen op een krant, en dat was het dan. Op zaterdagavond gingen ze ook onder de douche en waste Joke haar haren. Ze ging op donderdagavond naar een Bijbelkring, vooral op aandringen van haar ouders. Lies ging er ook heen, Flip nog niet, die was nog te jong en had nog geen belijdenis gedaan, dus hij moest naar catechisatie. Flip zat bij de zeeverkenners. Dat leek haar wel gezellig, maar op een vereniging zitten kostte geld en vader vond dat voor de meisjes niet nodig. Die hadden elkaar om zich bezig te houden.

Dit was een mooi plekje, besefte ze. Joke stapte af en keek over het water. Eenden zwommen hoopvol kwakend op haar af. 'Ik heb niets,' grinnikte ze. Ze snoof de frisse voorjaarsgeur diep in zich op. Mooi was het hier. Het dorp lag op de achtergrond. Hier waren hoofdzakelijk tuinderijen. Er lagen aan deze landweg een paar kleine boerderijtjes, soms ook gewoon huizen met een grote schuur ernaast. De landerijen waren bewerkt en klaar voor de komende tijd van zaaien en planten.

Kom, ze moest zo langzamerhand eens terug gaan. Eigenlijk was het gekkenwerk, zomaar op een doordeweekse morgen door het veld fietsen, omdat ze even niets anders om handen had. De komende dagen ging ze de kamer en de slaapkamer van opa en oma een goede beurt geven, zodat alles er blinkend uitzag als oma weer thuis zou komen. Misschien, als oma voldoende was opgeknapt, kon ze binnen niet al te lange tijd weer naar huis gaan en aan het werk.

Ze stapte weer op en bedacht nog dat dit wel een heel ander leven was dan dat zij leidde in de stad, toen ze ineens over een bobbel reed en even later merkte ze een lekke band te hebben. Nee hè!

Joke stapte af. Gelukkig had ze haar plakspullen altijd bij zich en had ze al vaker een band geplakt, maar om het lek te ontdekken had ze een emmertje water nodig. Ze keek om zich heen. Daar verderop aan dit romantische riviertje lag een tuinderij. Daar moest ze maar heen lopen en om wat water vragen.

'Goedemorgen.' Even later stond ze op het erf. Een hond stormde blaffend op haar af.

'Nee, nee, laat dat,' klonk het uit de keuken. Even later werd er een blond krullenhoofd om de hoek gestoken. 'Problemen?'

'Ik heb een lekke band. Zou ik misschien een emmertje water mogen hebben? Dan kan ik de band plakken.'

'Maar vanzelfsprekend.' Een blonde jonge vrouw van ongeveer haar eigen leeftijd lachte naar haar. 'Zomaar aan het fietsen?'

'Heerlijk. Ik logeer in Zwijndrecht om voor mijn grootouders te zorgen.'

'Kom maar even mee. Ik heet Betsie. Betsie Boerlage. Maakt u een uitstapje in de omgeving?'

'Ik logeer bij mijn grootouders, zoals ik al zei. Ze tobben een beetje met hun gezondheid en ik zorg voor hen tot mijn oma weer is opgeknapt. Binnen niet al te lange tijd komt ze weer uit het ziekenhuis. Ik heet Joke.'

'Ligt ze in Dordrecht?'

'Ja.'

'Misschien ken ik je grootouders wel. Mijn vader is ouderling in de kerk en kent heel veel mensen. Maar mogelijk gaan jullie naar een andere kerk.'

Of iemand überhaupt naar de kerk ging, was niet eens de vraag. Zo goed als iedereen ging immers trouw elke zondag naar de kerk. Joke vertelde waar de kerk van haar grootouders lag.

Betsie glimlachte. 'Wij kerken in de andere kerk, maar uiteindelijk geloven we allemaal in dezelfde God. Alleen wordt mijn vader boos als ik dat zeg. Hij zegt dat er veel verschil is tussen de ene kerk en de andere, maar zelf vind ik dat minder belangrijk. Mijn vader kan uren doorzeveren over de uitleg van een bepaalde tekst en of die uitleg al dan niet juist is. Ik niet. Ik vouw mijn handen en zak elke avond voor het slapen gaan op mijn knieën zoals het hoort, en stap dan in bed met de oneerbiedige gedachte dat God zich niet bezighoudt met het uitleggen van de teksten in Zijn boek. Voor mij zijn de wegen van de Heer ondoorgrondelijk en blijven ze dat ook. Als je maar oog hebt voor de noden van je medemens, dat is wel belangrijk.'

Ondertussen was Betsie al pratende naar een kraan in de stal gelopen, had ze een zinken emmer gepakt en nu liep die vol met water. 'Ik zal je wel even helpen. Hoewel ik acht broers heb en dus eigenlijk nooit een band zou moeten plakken, draai ik er gewoonlijk zelf voor op.'

Joke schoot in de lach. 'Acht broers! Lieve help! Ik heb er maar een, en dat vind ik eigenlijk al meer dan genoeg. Mijn broer is nogal een pestkop. Bovendien moet ik thuis van alles doen en hij hoeft niets anders dan in de winter

kolen te scheppen. Gaat dat hier ook zo?'
Betsie grinnikte. 'Wij hebben een tuinderij en daar is altijd
wel wat te doen. Juist in de zomervakantie, als we allemaal thuis zijn, is er heel veel werk. Straks is alles gezaaid
en geplant, dan begint het er al mee dat we allemaal moeten helpen met onkruid wieden. Dat spaart personeel uit
dat anders betaald moet worden, dat begrijp je.'
Ondertussen had Joke de banden gelicht en de binnen-
band van de fiets tevoorschijn gehaald. Gezamenlijk haal-
den de twee jonge vrouwen de band door de emmer, tot
een paar bubbels lieten zien op welke plek er lucht ontsnapte en waar dus het lek zat. Eendrachtig plakten ze de
band, voor de buitenband weer keurig om het wiel werd
gelegd.
'Zal ik de fiets even omdraaien?' vroeg een zware stem
achter hen.
'Ha Jos, je bent precies tien minuten te laat, anders had je
de band van Joke kunnen plakken. Nu mag je inderdaad
de fiets omkeren zodat ze weer verder kan.'
Een lange jongeman met een dikke bos bruin haar en
ogen die het midden hielden tussen groen een bruin, keek
haar een tikje brutaal aan. 'Nee maar, hoe komt deze
schoonheid zomaar bij ons verzeild?'
'Dit is mijn op twee na oudste broer, Jos. Liefdevolle
afkorting van Jozef, want na het vernoemen van de beide
opa's koos mijn vader louter nog Bijbelse namen voor zijn
zoons,' grinnikte Betsie onbekommerd.
'Aangenaam,' mompelde Joke een tikje verlegen. 'Heb je
enkel broers, Betsie?'
Ze schudde lachend het hoofd. 'We zijn met elf kinderen.
Ik heb nog twee jonge zusjes. Ik kom meteen na Anton en
Peter. Jos komt na mij. Peter zit in militaire dienst, maar
Jos is afgekeurd op zwakke knieën.' Broer en zus leken
dat nogal een goede grap te vinden. 'Hoe hij dat voor
elkaar gekregen heeft, weet ik nog niet. Anton hoefde niet
te dienen omdat hij slechte ogen had, Jos kon zich nog

niet beroepen op de broederdienst.'

Ze glimlachte maar wat. 'Ik moet opschieten,' schrok ze na een blik op haar horloge. 'Dank je voor je hulp, Betsie.'

'Jammer dat jullie naar een andere kerk gaan, anders zag ik je zondag weer. Kom gerust nog langs als je nog eens een fietstochtje maakt,' nodigde Betsie hartelijk uit. 'Dat zou ik erg gezellig vinden.'

'Misschien.' Joke wilde al opstappen, maar Jos hield haar fiets vast. 'Ben je hier nieuw?'

'Ze logeert bij haar grootouders en zorgt voor hen,' lichtte Betsie hem al in, voor Joke zelf antwoord had kunnen geven.

'Waar?' drong Jos aan. 'Dan komen Betsie en ik ook eens bij jou langs.'

Ze kreeg een kleur als vuur vanwege zijn duidelijke poging om toenadering te zoeken. Ze keek vragend van de een naar de ander. Betsie grinnikte onbekommerd. 'Als je het niet wilt zeggen, moet je dat niet doen, want mijn broer is nogal brutaal,' grinnikte ze.

Joke noemde de straat, maar niet het huisnummer. Dat scheelde. Opa en oma woonden in een lange straat met veel huizen. Ze was het niet met zichzelf eens, of ze nu wel of niet wilde dat deze onbekende jongeman haar daar op kwam zoeken. Opa zou er niet van gediend zijn, dat besefte ze heus wel.

'Mijn oudste broer woont daar een paar straten vandaan,' grinnikte Betsie. 'Hij is getrouwd en heeft een zoon en een dochtertje. Misschien zien we elkaar wel weer in de buurt, als ik hem opzoek.'

'Dat zou ik leuk vinden,' glimlachte Joke, maar ze wist niet of ze dat wel meende.

'Of wil je liever hier langskomen? Dat zou ik echt fijn vinden,' lachte Betsie terwijl Joke al op haar fiets stapte. 'Ik ben thuis om mijn moeder te helpen en ook mijn vader met de tuin. Ik kom niet zo vaak onder de mensen, terwijl ik juist iemand ben die van veel gezelligheid houdt. En

hoewel we het hier met zijn allen leuk hebben, wil je toch weleens met iemand anders lachen dan met je eigen broers en zussen. Kom jij ook uit een groot gezin?'
'Ik heb alleen een broer en een zus, allebei jonger dan ik. Maar nu moet ik echt gaan, ik ben al veel te lang weggebleven.'
'Dat begrijp ik. En ik blijf maar kletsen,' grijnsde Betsie schuldbewust. 'Mijn vader moppert altijd op me en zegt dat mijn handen beter net zo actief kunnen zijn als mijn tong.' Ze moest er zelf om lachen.
'Goed, ik kom nog eens, maar ik weet niet wanneer. Dat hangt van opa en oma af,' beloofde ze toen bijna tegen wil en dank. Maar eenmaal weer op de fiets en bijna bij het dorp, dacht ze toch niet dat ze dat ook daadwerkelijk zou doen.

Ze zat naast het bed van oma in het ziekenhuis. 'Ik mag morgen naar huis van de dokter,' vertelde oma monter. 'Maar ik mag nog niet het hele eind lopen. Dat zou ook niet gaan, ik heb bijna twee weken alleen maar op bed gelegen.'
'Leerdam, de kruidenier, vroeg eergisteren wanneer u naar huis mocht. Hij zei dat hij wel wilde rijden,' aarzelde Joke. De kruidenier was een van de twee mannen in de hele straat die een auto hadden. De andere man had volgens zeggen in de oorlog goed geld verdiend, maar niemand wist precies waarmee. Dat had ze gehoord van de gezette, hartelijke en eigenlijk wat al te bemoeizieke buurvrouw die door iedereen tante Koosje werd genoemd. Ach, tante Koosje, Joke wist niet eens hoe ze van haar achternaam heette. Ze kletste graag en veel. Ze was nog beter op de hoogte van het wel en wee in de buurt dan het nieuwsblad, zei opa soms, maar aan de andere kant was het een schat van een mens en iemand die altijd voor iedereen klaarstond. Toen oma was opgenomen en Joke nog niet was gekomen, had ze meteen een prakje bij opa

gebracht, dat hij alleen maar warm hoefde te maken.

Oma keek enorm opgelucht. 'Ik was al bang dat we een taxi moesten bestellen en dat kunnen we niet betalen, kindje. Al de extraatjes die ik moet eten in verband met mijn ziekte kunnen we eigenlijk ook niet betalen, maar ik moet dingen als roomboter en eieren eten van de dokter, en dan moet een mens er maar iets anders voor laten staan. Maar goed, als je het tegen Leerdam wilt zeggen, graag. Het is een pak van mijn hart.'

'Hoe laat moeten we er zijn?' vroeg ze even later toen oma net had bekend dat ze opa miste, dat ze zich in haar hart meer zorgen maakte over zijn slechte hart dan om daar eigen suikerziekte, en dat ze erg dankbaar was dat ze inmiddels weer goed was ingeregeld en naar huis mocht. Ze moest er nog beter op blijven letten precies op tijd te eten, absoluut geen suiker te eten en de hoeveelheden eten die ze hebben mocht, nog preciezer af te wegen op haar grammenweegschaal. Als ze niet goed oplette, was de suiker binnen de kortste keren opnieuw ontregeld en als dat vaak gebeurde, kon ze eraan dood gaan, had de dokter haar zonder iets te verbloemen op het hart gedrukt.

Toen Joke thuiskwam met de heuglijke mededeling dat oma de volgende dag uit het ziekenhuis ontslagen zou worden, trof ze haar grootvader aan. Zwetend en hijgend lag hij op bed, terwijl hij eigenlijk nog aan het werk had moeten zijn. Ze schrok enorm.

HOOFDSTUK 4

'U bent niet in orde. Ik ga tante Koosje halen.'

'Nee, laat maar, het is niet erg. Ik ben op, kindje, daar kan zelfs de dokter niets aan doen.'

'U meldt u morgen ziek,' besliste ze resoluut. 'Stel je voor, dat u zomaar in elkaar zakt en misschien niet meer bijkomt.'

'Als het mijn tijd is, en de Here roept me, dan ga ik met blijmoedig hart,' liet de oude man weten en zijn ogen stonden rustig.

Hij meende het, besefte Joke met iets van ontzag. Ze aarzelde. 'U zweet zo. Zal ik u opfrissen?'

'Dat is goed, en geef me maar wat van de eau de cologne van je grootmoeder.'

'Die heeft ze mee naar het ziekenhuis.'

'Er staat nog een nieuwe fles in het kabinet. Die heeft ze voor haar verjaardag van de buurvrouw gekregen.'

Ze friste haar grootvader op. Ze vroeg wat hij wilde eten, maar hij wilde alleen maar een boterhammetje. Had ze nog spek? Dat wilde hij er dan wel uitgebakken op hebben. 'Ga nu Leerdam maar vragen of hij in de gelegenheid is om je oma morgen op te halen,' drong hij aan, voor ze zich met het eten ging bemoeien. 'Als dat geregeld is, voel ik me al veel geruster. En schrijf vanavond een briefje aan je moeder dat oma morgen weer thuiskomt. Het zou fijn zijn als ze ons dan weer op komt zoeken.'

'Dat zal ik doen,' beloofde ze de oude man.

Nadat ze hem had opgefrist, ging ze eerst naar de winkel van Leerdam. Deze beloofde grif dat ze om halftien zouden vertrekken, en vanzelfsprekend mocht ze meerijden, als ze dat wilde. Dat deed ze graag. Ze had nog nooit in een auto gezeten, dus dat leek haar wel wat. Daarna liep ze achterom bij tante Koosje naar binnen. Ze vertelde bedrukt hoe ze haar grootvader een halfuurtje geleden had aangetroffen.

Tante liet haar altijd bezige handen rusten. Ze was bezig aardappelen te schillen in een emmer. 'Ja, hij gaat achteruit, dat is me ook opgevallen.'

'Ik vind dat hij zich morgen ziek moet melden. Het werk is te zwaar voor hem geworden, buurvrouw.'

'Dat weet iedereen. Nog een paar weken, dan wordt hij vijfenzestig. Je grootvader is een oude man, Joke.'

'Hij is zo opgelucht dat de nieuwe wet er is. Hij gaat trekken van vadertje Drees, zo noemt hij dat.'

'Het is een zegen dat zulke oude mensen niet langer zoals vroeger door moeten ploeteren omdat ze anders niet te eten hebben en aan hun lot worden overgelaten, als ze de pech hebben dat kinderen hen niet onderhouden,' knikte de buurvrouw.

'Zou ik de dokter moeten waarschuwen, denkt u?'

'Ik weet niet of dat zin heeft. Hij slikt immers al pillen voor zijn hart en dan kan de dokter ook niet veel meer doen.'

'Misschien moet hij andere pillen, of meer?' aarzelde Joke nog.

'Ach kindje, wat een verantwoordelijkheid voor zo'n meisje als jij bent! Twee oude, zieke mensen, waar je helemaal alleen voor zorgen moet.'

'Ik ga straks na het eten een briefje aan mijn moeder schrijven. Ze moet het weten, en ook dat oma weer thuiskomt.'

'Loop anders even binnen bij Leerdam. Die heeft een telefoon in de winkel en je mag bij hem bellen als je de kosten wilt vergoeden.'

'Hij haalt oma ook al op uit het ziekenhuis en bovendien, wij hebben thuis geen telefoon.'

'Is er niemand in de straat die wel zo'n toestel heeft en gebeld mag worden?'

'Een buurman een eindje verderop in de straat heeft telefoon van zijn werk. Of mijn vader op het bureau, daar is natuurlijk ook telefoon, maar ik weet niet of hij nu werkt.'

'Bel die buurman maar, en vraag hem of hij alsjeblieft de boodschap aan je moeder door wil geven. En bel ook het nummer dat je oom Aad heeft opgegeven om hem en tante Lijnie te laten weten dat oma weer thuiskomt.'

'Maar is dit een noodgeval?'

'Ze willen het vast graag weten. Eigenlijk zouden ook eenvoudige mensen een telefoon moeten hebben, maar dat is veel te duur en dus alleen betaalbaar voor mensen die het beter hebben dan de gewone werkman.'

Toen Joke weer terug was bij haar grootvader, keek ze hem aarzelend aan. 'Buurvrouw zegt dat ik pa en ma moet opbellen. Dat kan bij Leerdam. En het gaat sneller dan een brief. Het is bovendien goedkoper dan een telegram.'

'Voor mij hoef je niet zoveel ophef te maken, lieve kind. Maar voor oma is het goed,' zuchtte opa gelaten. 'Het is mijn tijd nog niet, dat voel ik, al is mijn lichaam versleten. Op mijn twaalfde begonnen met werken, ja, zo ging dat in mijn jonge jaren. Maar al als kind moest ik vaak mee naar het land. Aardappelen rooien in weer en wind, zodra ik uit school kwam. Vaak honger gehad. Nu ben ik bijna vijfenzestig en dat is oud. De meeste mensen werden vroeger niet eens zo oud. Veel jonge mensen hebben een paar jaar geleden hun leven gegeven in die vreselijke oorlog. En kijk nu eens naar mij! Ik moet het nog even volhouden en dan krijg ik elke maand geld, zodat ik kan eten en drinken, en ik hoef niet eens mijn hand op te houden bij mijn kinderen!'

'U heeft alleen ma en oom Aad nog maar.'

De oude man knikte bedroefd. 'Zes kinderen kregen je grootmoeder en ik. De oudste is je oom, die twee jaar geleden naar Canada is vertrokken en nog maar een of twee keer per jaar met een brief iets van zich laat horen. Ach kindje, dat heeft ons hart gebroken! We gunnen hem van harte een beter bestaan daar, maar een dergelijke stap betekent voor ons wel dat we ons kind nooit meer terugzien, en voor ouders is dat hard. Heel hard. Het heeft mijn hart gebroken en ook je grootmoeder houdt zich flinker dan ze zich voelt.' De oude man zweeg. Zijn blik gleed verder terug in het verleden. 'Dan je oom Bram. In Indië gesneuveld toen de Jappen kwamen.'

'De Japanners?'

'Precies, die gluiperige spleetogen! En dan is er nog een kindje geweest dat maar een paar maanden heeft geleefd en daarna is overleden. En je oom en je moeder hebben een zusje gehad, dat maar negen jaar is geworden en is overleden aan een longontsteking. Ja kindje, de Here heeft ons zwaar bezocht, maar we zijn nooit ons vertrouwen in Zijn wijsheid kwijt geraakt, dat nooit. En nu...' De oude man ademde zwaar.

'U maakt u veel te druk. U moet rust hebben. Zal ik de dokter waarschuwen?'

'Nee, nee, rust is voldoende. Maar Koosje van hiernaast heeft gelijk. Bel je moeder maar op. Dan kan ze morgen komen en oma zal blij zijn dat zij er is als ze uit het ziekenhuis komt.'

Opa vertelde haar nog waar ze het telefoonnummer kon vinden. Ze hadden het nooit eerder durven gebruiken, het was er voor noodgevallen. Een tikje ongemakkelijk stak ze de straat over naar de kruidenier en legde uit waarom ze graag wilde bellen. Niet veel later kreeg ze de mevrouw aan de telefoon die als een van de weinigen in hun straat over een telefoonverbinding kon beschikken. Onzeker vroeg ze of mevrouw misschien zo vriendelijk wilde zijn om een boodschap aan haar ouders door te geven. Oma zou morgen uit het ziekenhuis komen, maar opa lag in bed en had last van zijn hart. Misschien kon haar moeder komen.

De mevrouw was helemaal niet boos dat ze werd lastiggevallen, stelde Joke tot haar opluchting vast. 'Arm kind. En jij staat er helemaal alleen voor? Natuurlijk ga ik het direct aan je moeder vertellen.'

'Dank u,' mompelde ze, een beetje in de war.

Opa glimlachte toen ze het hem even later vertelde. 'Je moeder zal morgen wel komen, kindje. Dank je voor alles wat je voor oma en mij hebt gedaan. We zullen het nooit vergeten. Maar nu wil ik gaan slapen. Vanavond moet de Here het mij maar vergeven dat ik mijn bed niet uit kom om op mijn stramme knieën te gaan. Ik bid wel in bed.'

Ze zat in de stilte van de kamer en dacht na. Ze was nu twee weken hier. Hoe vond ze dat eigenlijk? Ach, aan de ene kant hield ze veel van haar grootouders, en hun dankbaarheid dat ze voor alles zorgde was groot. Het voelde wel goed. Maar aan de andere kant miste ze haar werk en vreemd genoeg ook het leven in de stad. Ze miste zelfs haar ouders, al kon de sfeer in huis haar thuis vaak genoeg benauwen. Ze miste zelfs Lies, al viel het niet mee een slaapkamer te moeten delen met een zus die nog lang niet wilde slapen als zij haar ogen nauwelijks nog open kon houden, en die 's morgens niet uit bed te krijgen was terwijl zij er zo fris als een hoentje naast stond. Ach, ze miste alles wat haar vertrouwd was, en dat was toch eigenlijk heel gewoon?

Ineens moest ze aan Betsie denken en toen schoot ze in de lach. Ja, ze mocht Betsie wel. Ze zou haar best nog eens willen zien. Misschien kon ze haar morgen nog eens opzoeken, als ma een nachtje bleef? Maar zou ma wel een nachtje blijven? Pa was ouderwets, hij was een man die vond dat een vrouw in de eerste plaats voor haar man moest zorgen. Joke zuchtte diep. Toen stond ze resoluut op. Met piekeren en zo schoot ze geen zier op! Ze sloop op haar tenen naar de slaapkamer van opa en oma aan de voorkant van het huis en keek voorzichtig om de deur.

Opa sliep. Het was vier uur in de middag. Zou ze het wagen, even op de fiets weg te gaan? Nee, dat kon ze gewoon niet maken. Opa was ziek, stel dat er wat met hem gebeurde? Weet je wat, de zon scheen, ze ging even lekker op het straatje achter het huis in de zon zitten. Dan kon ze zo nu en dan bij opa kijken en als hij daar trek in had, eten voor hem maken. Alles stond klaar. De aardappelen waren geschild, de worteltjes geschrapt, een wijtinkje zou ze stoven, met een botersausje erover. Dat lustte de oude man graag.

Ze droeg een keukenstoel door de bijkeuken naar buiten en even later leunde ze behaaglijk met gesloten ogen achterover in het zonnetje. De rust duurde echter niet lang. 'Gevonden!' kreet een stem en het duurde even voor Joke die thuis kon brengen, maar toen opende ze prompt haar ogen.

Betsie Boerlage leunde lachend over het tuinhek. 'Je was vergeten het huisnummer te zeggen, maar het is prachtig weer en ik dacht: misschien staat haar fiets wel buiten en kan ik je vinden. En nu zit je zelf buiten te luieren! Mooi is dat! Mag ik binnenkomen?'

Joke zat meteen rechtop. 'Wat leuk! Natuurlijk, kom verder, ik zal even een stoel voor je pakken. We moeten wel buiten blijven, want mijn opa is ziek en ligt net te slapen. Ik kijk meteen even bij hem om de hoek, ga maar vast zitten. Ik geloof dat we nog wat ranja hebben. Zin in?'

'Lekker. Wij krijgen alleen op zaterdagavond en op zondag limonade, verder drinken we koffie of gewoon water.'

Betsie ging zitten en Joke haastte zich naar binnen. Opnieuw sloop ze op haar tenen naar de slaapkamerdeur. Opa sliep nog steeds. Gelukkig. Ze keek naar het tot rust gekomen gezicht. Opa zag grauw, vond ze. Even werd het haar angstig om het hart, vreesde ze dat hij misschien die vijfenzestigste verjaardag niet eens halen zou, maar tegelijkertijd besefte ze dat dit ingegeven werd door angst en dat het nergens op gestoeld was.

Even later zette ze de tweede keukenstoel buiten. Meer stoelen stonden er niet in de eenvoudige keuken met een klein granieten aanrecht, een eenvoudige kraan erboven met alleen koud water en daarnaast het fornuis. Aan de andere kant van de keuken stond een tafeltje met een zeil erover en twee stoelen met een rieten zitting aan weerszijden tegen de wand, dan bleef er nog net een smal looppad tussen fornuis en tafel over.

Ze zette de stoel neer in het zonnetje. 'Ik kom zo, even de ranja inschenken.' Ze deed in twee glazen een laagje van de mierzoete siroop en vulde dat bij met kraanwater. 'Lekker,' mompelde Betsie vergenoegd. 'Wat een weelde, gewoon even in het zonnetje zitten en niets om handen te hebben.'

'Je had tijd om hierheen te komen.'

'Ik moest wat sla en verse eieren bij mijn schoonzus brengen. Ze heeft pas een miskraam gehad en is daar erg verdrietig over. Ze is vijfentwintig, en Anton ook.'

'Anton is je oudste broer?'

Betsie knikte. 'Daarna komt Peter, dat is het leerhoofd van de familie. Hij is op de hts geweest in Dordrecht en zit nu in dienst. Omdat hij officier is geworden vanwege zijn opleiding, moet hij bijna twee jaar dienen. Lang hoor, maar over een paar weken zwaait hij eindelijk af. Peter is verloofd met Rosie en als hij een baan heeft en een huis heeft gevonden, gaan ze trouwen. Daarna ik en dan komt Jos, die ken je al. Hij is de vrolijke Frans van de familie. Jos moet pa helpen, maar loopt er de kantjes nog weleens van af. Dat geeft soms ruzie in huis. Mijn vader is best streng, zeker als het om het geloof gaat. Alles is thuis pais en vree, zolang we maar doen wat hij zegt. Als oudste meisje in een groot gezin moest ik zelfs toen ik nog op school zat al zo veel mogelijk meehelpen thuis. Dus na de huishoudschool mocht ik niet eens een baantje zoeken, wat ik liever wel had gewild, maar moest ik thuisblijven om moe in de huishouding te helpen.'

'Vond je dat zo erg?'

'Ja, eigenlijk best wel. Mijn leukste herinneringen heb ik aan de tijd toen ik zo mager en bleek was dat ik een paar maanden naar kolonie ben gestuurd, aan zee, en we vaak op het strand speelden. Dat was een heerlijke tijd. Ik had overigens best graag naar de mulo willen gaan en daarna een lui kantoorbaantje willen zoeken, zodat ik kon sparen voor als ik later ga trouwen.'

Joke moest lachen. 'Heb je dan verkering?'

'Welnee, nu ja, maar er is wel iemand die werk van me maakt en die ik ook leuk vind. Een vriend van Jos, maar dat kan nooit echt iets worden. Hij is katholiek, zie je, dus dan houdt alles op, maar hij werkt hier in de buurt. We hebben elkaar zelfs zo nu en dan stiekem ontmoet. Niet verder vertellen, hoor! Soms ga ik met Jos uit dansen, stiekem natuurlijk, want dansen is zondig en mijn vader wil dat niet hebben, maar we laten ons niet aan de tafelpoot vastbinden! Dan ontmoet ik ook andere vrienden van Jos, maar Arie is er ook altijd. Hij vindt me leuk en ik hem dus stilletjes ook. Zo nu en dan zoenen we een beetje en dan doet Jos net of hij niets ziet. Heb jij kennis aan iemand?'

Joke schudde haar hoofd. 'Nee, ik ontmoet niet veel jongens. Ik werk op een naaiatelier. Toen ik van school kwam, mocht ik gelukkig naar de naaischool en dat vond pa goed, omdat het maar voor twee dagen in de week was en ik de andere dagen gewoon kon werken.'

'Mag jij je geld zelf houden?'

'Voor een deel. Ik draag de helft thuis af en een kwart moet ik sparen voor later. Dan blijft er nog een kwart over dat ik kan besteden. Door daar zuinig mee om te gaan, lukt dat wel.'

'Dat had ik ook graag gewild,' peinsde Betsie, 'geld verdienen voor mezelf. Ik kom niets tekort, hoor, dat moet je niet denken. We gooien thuis echt geen geld over de balk, maar als ik iets nodig heb, vraag ik het geld om dat te kunnen kopen aan mijn vader en dan krijg ik het altijd. Het is echter niet fijn om altijd maar weer om iets te moeten vragen. Maar ja, ik ontsnap hier pas aan als ik ga trouwen en dan zal mijn jongere zusje eraan moeten geloven. Ik ben weleens eerder verliefd geweest, maar dat was op een armoedzaaier met een werkloze vader. Nu, toen was de lieve vrede in huis ver te zoeken! Mijn vader is erg streng, dat zei ik al. Hij vindt dat hij altijd gelijk heeft en dat wij, ook mijn moe, naar hem moeten luisteren. Dat geeft weleens gedoe. Vooral Peter laat zich de dingen niet zomaar zeggen. Ach, toen die ging dienen, kwam er meer rust in huis en nu heeft hij werk gevonden vlak bij de stad. Hij gaat straks bij een grote oliemaatschappij werken en krijgt via de werkgever zo snel mogelijk een huis toegewezen. Ja, als hij elke dag met de trein en de bus naar het werk moet, is hij halve dagen op reis. Dus moet hij een kosthuis zoeken.'

'Al is er overal een grote woningnood, grote werkgevers krijgen wel het een en ander voor elkaar voor hun personeel.'

'Of ze laten daar huizen voor bouwen. Anton heeft na zijn trouwen nog anderhalf jaar bij ons ingewoond. Niets gedaan hoor, als getrouwd stel nog bij je ouders in te moeten wonen. Anton was dolgelukkig toen hij een oud huisje kreeg toegewezen. Het is klein en vervallen, maar hij heeft het eigenhandig zo goed mogelijk opgeknapt en is er dolgelukkig mee. Door de oorlog is er nu eenmaal een enorm tekort aan huizen, zeker aan betaalbare huizen voor een gewoon werkmansloontje. Lekker, die ranja.'

Joke schoot in de lach. 'Even bij opa kijken.'

'Wat lach je nou?'

'Je lijkt wel een spraakwaterval, ik krijg er geen speld tussen.'

Betsie schrok. 'Ja, ik ben een kwebbel, ik weet het. Maar soms benauwt het me zo, al die verplichtingen thuis. Dan ben ik blij als ik er even uit kan breken. Moe weet dat wel, die stuurt me desondanks graag om een boodschapje. Als het aan haar had gelegen, had ik niet naar de spinazieacademie hoeven gaan, maar had ik best naar de mulo gemogen. Maar ja, pa is de baas. Wat lach je nu weer?'

'Om die spinazieacademie.'

'Zo noemen ze de huishoudschool toch spottend? Nooit

gehoord? Ik moest je overigens met nadruk de groeten doen van Jos. Je hebt indruk gemaakt op broerlief.'

'Volgens mij is Jos nog maar een jaar of achttien en dus een paar jaar jonger dan ik.'

'Ja, een broekje! Maar hij is weg van je en ik heb hem al gezegd dat hij niet zo dom moet doen, want het kan toch nooit wat worden omdat je van een andere kerk bent, en mijn vader zou een dergelijke verkering nooit goedkeuren. Daarom kan ik ook niet met Arie thuiskomen. Maar goed, een beetje met elkaar flirten is leuk, een heel leven met iemand samen zijn is toch iets heel anders en dat is niet aan de orde.'

'Mogen wij eigenlijk wel met elkaar omgaan?'

'Nog maar net,' grinnikte Betsie, terwijl ze het laatste slokje limonade opdronk. 'Ik moet weer opstappen, anders krijg ik op mijn kop. Begrijp je?'

'Leuk dat je langskwam.'

'Zie ik je nog, Joke?'

'Morgen komt mijn oma weer thuis, maar nu is opa ook ziek geworden, dus ik zal waarschijnlijk nog wel even hier moeten blijven. Misschien kunnen we elkaar in dat geval nog een keertje opzoeken.'

'Als je kunt, kom dan zaterdagavond naar ons toe. Dan is iedereen thuis en zingen we vaak met elkaar. Mijn vader speelt mooi op de mondharmonica, maar Jos leert het nu ook en dan zingen we ook wel andere liedjes dan enkel psalmen. Op zaterdagavond is iedereen thuis, dan is het echt gezellig. Kom je?'

'Als ik weg kan, zal ik komen.'

'En als het donker wordt, hoef je echt niet alleen naar huis. Jos brengt je met plezier weg.'

Joke schoot in de lach. 'Blijft slechts de vraag of ik dat wel wil, in het donker thuisgebracht worden door dat broertje van jou.'

Betsie lachte niet langer. 'Je ziet hem niet zitten.'

'Lieve help!' Joke stak haar handen in de lucht. 'Ik heb je

broer een paar minuten gezien en hij mag dan meteen zijn hart hebben verloren aan mij, andersom is dat beslist niet het geval. Dus je moet me beschermen tegen een broer met mogelijk te veel verwachtingen.'

'Als je komt, zal ik je zelf thuisbrengen.'

'Mag jij dan wel terug, alleen door het donker?'

'Als Jos meegaat, blijf ik erbij, al kijkt hij nog zo boos naar me,' lachte Betsie weer even zorgeloos voor ze haar hand opstak en de tuin uit beende.

Toen Joke weer om de hoek keek, lag haar grootvader naar de zoldering te staren. 'U bent wakker. Heeft u trek? Dan ga ik de aardappelen opzetten en de rest van het eten klaarmaken,' beloofde ze.

De oude man leek te zijn opgeknapt door de rust en ging zitten. 'Ik voel me een stuk beter,' stelde hij vast. 'Vind je het erg als ik in bed eet, in plaats van aan tafel?'

'Blijf maar lekker liggen, opa. En meld u morgen toch maar ziek, gewoon voor alle zekerheid.'

'Dan is het vrijdag en op zaterdag hoef ik maar een halve dag te werken, dus...' aarzelde de oude man.

'Als u een paar dagen uitrust, kunt u maandag weer werken. Maar als ma komt, zullen we het aan haar vragen. Goed?'

De oude man knikte en even later maakte Joke in de keuken neuriënd het eten klaar.

Misschien, bedacht ze ondertussen, kon ze zaterdagavond inderdaad even bij Betsie Boerlage langsgaan. Als ma bleef of als opa zich weer goed voelde, moest dat kunnen. Ze was nieuwsgierig geworden naar de rest van de familie.

HOOFDSTUK 5

Om halftien de volgende morgen stapte Joke bij kruidenier Leerdam in de auto om haar grootmoeder op te halen in het ziekenhuis in Dordrecht. Gelukkig zat oma al aangekleed en wel op hen te wachten toen ze aankwamen, haar schaarse spulletjes keurig ingepakt. Ze namen afscheid van de verpleegsters en reden zonder veel oponthoud terug naar huis. De kruidenier verdween meteen in de winkel, want hij had het altijd erg druk.

Haar moeder was er al toen ze weer thuiskwamen en oma's ogen lichtten op toen ze haar dochter zag.

Wat was Joke blij om haar moeder weer te zien. De oudere vrouw keek haar dochter bezorgd aan. 'Eigenlijk moet ik zelf hier blijven en moet jij voor je vader zorgen, maar hij wil het niet hebben en hij kan zo moeilijk doen als ik een andere mening ben toegedaan dan hijzelf,' zuchtte deze een tikje aangeslagen. 'Als je eens wist hoeveel zorgen ik me heb gemaakt over mijn ouders. En Aad is druk met zaaien en poten en Lijnie kan niet helpen omdat ze voor de beesten zorgt en moet helpen met melken.' Haar moeder slaakte een zorgelijke zucht, maar Joke maakte een geruststellend gebaar en knikte naar oma.

'Met mij gaat het weer goed,' glunderde oma. 'Jullie hoeven je geen zorgen te maken over mij. En wat ben ik blij om weer gewoon thuis te zijn.'

'Bent u niet moe?'

'Lieve schat, ik heb twee weken lang bijna niets anders gedaan dan op bed liggen, terwijl de dokters een nieuw evenwicht probeerden te zoeken tussen de hoeveelheid insuline die ik gespoten moet krijgen en wat ik precies eten mag. Ik heb een heel lijstje meegekregen hoeveel gram ik mag eten van dit en hoeveel gram van dat. Laten we maar hopen dat het nu weer een hele tijd goed gaat. Zo, en hoe is het met jou?' Ze gaf haar man een zoen op de wang, terwijl haar dochter en kleindochter bezorgd toekeken.

Opa haalde zijn schouders op. 'Ik moet van Joke een paar dagen uitrusten en dan duurt het nog maar heel kort voor ik kan ophouden met werken. Tot mijn verjaardag moet ik het nog vol zien te houden.'

'Ik vind dat je advies aan de dokter moet vragen, pa. Eigenlijk moet je maandag eerst naar het spreekuur gaan. Als ik dichterbij woonde, ging ik zelf mee. Nu moet jij dat maar doen, Joke.'

'Dus ik moet nog blijven?' vroeg ze toch een beetje bedrukt, al probeerde ze dat manmoedig te verbergen.

'Het kan niet anders. We moeten oma nog een paar dagen ontzien. Het is nu vrijdag. Ik vind eigenlijk dat je nog een hele week moet blijven, gewoon voor de zekerheid. Opa is al gauw jarig, nog maar een paar weken. Dan komen wij allemaal, en ook je oom en tante met hun kinderen. Dat wordt een drukke dag en oma heeft hulp nodig met de voorbereidingen. We hebben het geluk dat opa op zaterdag jarig is. Je vader ruilt zo nodig een dienst zodat hij vrij is, en Lies en Flip hoeven dan die morgen niet naar hun werk, hebben ze al geregeld. Dat moet jij ook doen, als dat tenminste kan op het atelier.'

'Ik verheug me erop. En het is fijn als Joke me nog een paar dagen ontlast.'

Joke knikte gelaten. 'Goed dan, dan blijf ik tot volgende week zaterdag en als er niets vervelends meer gebeurt, kan ik de maandag daarop weer naar mijn werk. Ik zal mijn baas vast in een brief laten weten wat de plannen zijn. Ik hoop dat er geen problemen van komen.'

Haar moeder keek haar vragend aan. 'Zou hij je mogelijk toch ontslaan?'

'Ik heb uitgelegd waarom ik van de ene dag op de andere niet meer kon komen en hij had er begrip voor, maar hij vond het allesbehalve leuk. Ik hoop dus maar dat er inderdaad geen problemen van komen nu het zo lang duurt.'

'We hebben niet willen geloven dat je daardoor mogelijk

je werk zou verliezen,' bromde haar moeder ongerust. 'Toe, laten we er maar niet over piekeren,' troostte ze haastig, maar toch wel wat onrustig vanbinnen. 'Het is nu eenmaal zo gelopen. Maar ik ga meteen een brief schrijven aan mijnheer en ik hoop dat hij er begrip voor heeft dat ik nog een week wegblijf. U blijft toch wel tot vanmiddag, voor u weer teruggaat naar de stad, ma? Ik heb een weckfles met stoofpeertjes opengemaakt, de aardappelen staan al klaar en gisteren heb ik gehaktballen gebraden.'

'Klinkt lekker,' knikte haar moeder. Ze ging met haar ouders in de kamer zitten en Joke ging in de keuken aan de slag.

Wel, het ging naar omstandigheden beter met allebei haar grootouders. Als het meezat, kon ze over acht dagen weer gewoon naar huis. Ze verlangde daar ineens erg naar, stelde ze tot haar eigen verbazing vast.

'Hé wat leuk, je bent gekomen,' lachte Betsie, die meteen opstond toen Joke de volgende avond aan de achterdeur klopte en 'volk' riep, zoals dat hier gebruikelijk was. In de stad in een flat had je geen achterdeur en daar liep dus ook niemand achterom. Trouwens, daar zou ook niemand het in zijn hoofd halen om deuren zomaar open te laten. Het was een drukte van belang in het huis van de familie Boerlage. Het weer was weer omgeslagen en er viel een miezerige regen, zodat iedereen binnen was. Een paar jongere kinderen speelden in de schuur. Ze waren aan het bellenblazen. Binnen zaten veel mensen om de tafel. Jos zat te schaken met een van zijn broers.

Ze werd aan iedereen voorgesteld. Oudste broer Anton met zijn vrouw, een bedeesde jonge vrouw, ze zag een tikje bleek na de recente miskraam. Een jonge vrouw die zowaar lippenstift droeg en gepoederde wangen had, was Rosie, de verloofde van Peter, die zat te schaken met Jos. Toen ze die twee broers de hand schudde, zag ze twee paar ogen oplichten. 'Leuk je weer te zien,' grijnsde Jos. 'Betsie zei al dat ze hoopte dat je vanavond zou komen. Ben je op de fiets? Ik breng je straks wel terug naar je grootouders.'

'Betsie ook,' liet ze meteen weten. De andere broer was wel een half hoofd groter dan de jongere broer. Zijn bruine ogen keken haar oplettend aan. 'Ik heb al het nodige over je gehoord.'

'Jij bent dus Peter en je zwaait over een paar weken af,' knikte ze.

'Helemaal goed.'

'En jij bent Rosie, de verloofde van Peter.' Joke gaf ook de ouders een hand en niet veel later zat ze aan tafel met een kop koffie voor zich met een kaakje erbij. Betsie ging op de stoel naast haar zitten. 'We gaan zo mens-erger-je-nieten,' begon ze.

Het was genoeglijk, zo'n groot gezin. Ze merkte een zekere gespannen houding op tussen Rosie en de bleke schoonzus, maar verder leek alles vredig. Toch heel anders dan hun kleine kringetje thuis, peinsde Joke ondertussen.

Na een poosje kwamen de kinderen weer binnen en ging de vader van Betsie achter het traporgel zitten en zoals Betsie al gezegd had, werd er volop gezongen. De kleintjes mochten nog even opblijven voor ze naar bed moesten. Na twee psalmen pakte Jos de mondharmonica en zette andere deuntjes in. *Hoog op de gele wagen*, *Waar Neerlands bloed, door de ad'ren vloeit*, liederen die ze al als schoolmeisje net na de oorlog op Koninginnedag volop meezong bij de aubade voor het gemeentehuis.

Ze genoot, besefte Joke tot haar eigen verrassing. Na het zingen zei ze dat ze niet te lang kon blijven, want haar grootouders waren allebei ziek geweest en hoewel het nu weer beter met hen ging, durfde ze toch niet te lang weg te blijven.

'Kom je volgende week weer?' vroeg moeder Boerlage

hartelijk toen Joke afscheid nam.

'Als alles goed blijft gaan, ben ik dan weer naar huis.'

'O, dat is jammer, maar beloof je dan dat je ons weer opzoekt als je weer in Zwijndrecht bent?'

'Dat beloof ik graag,' lachte ze zonder de minste terughoudendheid.

'Wij fietsen ook mee,' vertelde Peter even later. 'Dan breng ik meteen Rosie thuis.'

Vijf jongelui fietsten op hun gemak in de richting van het dorp. Er werd besloten eerst Joke veilig af te leveren, omdat zij de meeste haast had om thuis te komen. Ze was allang blij dat Jos niet alleen meegekomen was, want ze zag een blik in zijn ogen die haar onrustig maakte. Ze gaf alle vier de anderen een hand voor ze met haar fiets achterom liep.

Ze zette net de fiets in het schuurtje toen er ineens iemand achter haar stond. Bevreemd keek ze in de ogen van Peter. 'O, ik was al bang dat het Jos was,' flapte ze eruit omdat ze zich zo overvallen voelde.

'Waarom bang?'

Ze haalde haar schouders op, maar beantwoordde zijn vraag niet. 'Waar kwam je voor?'

'Dit. Volgens mij is dat van jou.'

'O, mijn regenkapje. Dank je. Ik heb het op de heenweg op gehad, maar nu is het niet langer nodig.'

Hij lachte. 'Tot ziens, Joke. Dat hoop ik althans.'

Ze lachte terug. Deze broer vond ze eigenlijk veel aardiger dan de jongere, besefte ze. 'Mogelijk,' glimlachte ze kalm terug. 'Dank je wel. Tot ziens, Peter.'

Binnen lagen de beide oude mensen al in bed. Ze sliepen rustig, zag Joke. Omdat ze nog klaarwakker was en een hoofd vol verse indrukken had, maakte ze in de keuken een kopje thee nadat ze een ketel water warm had gemaakt op een van de twee petroleumstellen die in de bijkeuken op een plank stonden. Ze knipte een schemerlampje aan en blies even later in het hete, warme vocht.

Ze voelde zich op een vreemde manier tot Peter aangetrokken, stelde ze tot haar eigen verbazing vast. En dat was onverstandig, want zelfs al zouden ze elkaar mogelijk nog wel eens zien, hij was verloofd en dus moest ze zich helemaal niets in het hoofd halen.

'Wat kom je nu weer doen?' vroeg ze stomverbaasd.

Er was de volgende middag tot haar verbazing op de achterdeur geklopt. Oma lag in bed om een dutje te doen, opa was in slaap gesukkeld in zijn leunstoel nadat hij daar een poosje in de bijbel had zitten bladeren.

Die morgen was Joke alleen naar de kerk geweest en de dominee had haar gevraagd hoe het met de oude mensen ging. Een kerkdienst is nog te veel voor ze, had ze hem laten weten, maar het ging naar omstandigheden weer goed en dominee had beloofd hen deze week nog een keer op te zoeken voor een steunend woord en een gebed.

Peter keek haar een tikje ongemakkelijk aan. 'Ik zou het fijn vinden als we even met elkaar konden praten.'

Ze keek achterom. 'Mijn grootouders rusten. We kunnen in de keuken zitten of een stukje wandelen.'

'Dat laatste dan maar?'

'Goed. Maar waarom eigenlijk?' Ze keek hem vragend aan.

Hij glimlachte. 'Je kijkt alsof je er niets van begrijpt.'

'Eerlijk gezegd doe ik dat ook niet. Als er al iemand van de Boerlage-broers bij mij aan de deur moest komen, had ik eerder Jos verwacht.'

Hij grinnikte. 'En... Had je dat leuk gevonden?'

'Eerlijk gezegd had het mij niets uitgemaakt. Er is toch niet iets aan de hand met Betsie?'

'In het geheel niet. Vond je het gezellig, gisteravond bij ons thuis?'

'Best wel.' Ze keek naar hem op. Ondertussen waren ze het pad achter de tuinen door gelopen en hij knikte even later in de richting van de laatste huizen. 'Laten we daar maar even heen lopen, daar eindigen de huizen en lopen

we langs de velden.'
'Allemaal tuinderijen, net als die van jullie.'
'Ja, het is hier een echt tuinbouwgebied.'
'Jij en ook Anton hadden er geen zin in om het bedrijf van je vader voort te zetten?'
Peter glimlachte. 'Anton had het wel gewild, maar kan minder goed met mijn vader overweg. En pa is nog lang niet van plan de touwtjes uit handen te geven. Dan krijg je twee kapiteins op een schip en dat leidt uiteindelijk alleen maar tot ruzie. Anton was zo wijs dat al vroeg in te zien.'
'Je vader lijkt mij aardig.'
'Dat is hij ook, zolang je over allerlei zaken net zo denkt als hij zelf. Dat verandert zodra je er anders over denkt, en dan met name over het geloof. Dat ligt bij ons thuis uiterst gevoelig.'
'Dat had ik van Betsie al begrepen. Weet je wat zo vreemd is? Ik ken jullie nog maar net. Anderhalve week geleden kreeg ik zo ongeveer bij jullie voor de deur een lekke band. Toeval?'
Hij grinnikte. Hij had een prettige uitstraling, vond ze. Jammer dat hij al verloofd was! Ach, wat een gedachte! Ze bloosde er een tikje van.
'Mijn vader zou zeggen: Gods wegen zijn ondoorgrondelijk. Maar als je werkelijk met Betsie bevriend raakt, gaat hij je duidelijk maken dat jullie kerk in bepaalde opzichten een minder juiste interpretatie geeft van de Bijbel, en dan vooral van sommige teksten, dan onze kerk. En dan wordt het al lastiger.'
'Dat klinkt onaangenaam, Peter.'
'Soms is het dat ook. Daarom zeg ik: schijn bedriegt en de harmonie in ons gezin is een fraai vernislaagje dat gemakkelijk krassen oploopt.'
'Maar daar kwam je niet voor.'
Ze waren inmiddels tussen de huizen vandaan. Hij stak een pijp op en keek met samengeknepen ogen over de landerijen die zich voor hen uitstrekten. 'Nee, daar kwam ik

inderdaad niet voor, en ook heb ik nog geen antwoord gegeven op je vraag waarom ik het bedrijf van mijn vader niet overneem. Anton is net zo'n eigenheimer als pa, dat vertelde ik al. Ik ben dat misschien ook wel, maar ik hoop nooit zo te worden dat ik mijn eigen gelijk durf te stellen boven het gelijk van alle andere mensen. Dat is geen prettige eigenschap, Joke.'

Hij nam haar onderzoekend op. 'Anton werkt al jaren bij de veiling, toch iets wat bij zijn afkomst uit een tuindersgeslacht past. Ik had evenwel een echt leerhoofd en heb bovendien altijd al een goed gevoel gehad voor techniek. Dus mocht ik naar de mulo en daarna naar de hts, en moest ik ook nog in dienst. Zodoende ben ik al drieëntwintig en heb ik nog nooit een cent binnengebracht thuis. Ondanks alles wat ik daarnet zei, ben ik mijn ouders erg dankbaar dat ik deze opleiding mocht volgen. Binnenkort zwaai ik af. Dan blijf ik een week of wat thuis om mijn ouders een plezier te doen en om een kosthuis in de stad te zoeken. Daarna ga ik aan het werk bij de oliemaatschappij. Er is afgesproken dat ik daar op 1 juli in dienst treed. Nu kom ik dus bij jou uit en bij de werkelijke reden voor mijn komst. Mijn werkgever straks, zoals gezegd een grote oliemaatschappij in de Rotterdamse haven, heeft wel adressen waar ik in de kost kan tot ik een eigen woning toegewezen krijg. Dat zal waarschijnlijk pas gebeuren als ik ga trouwen.'

'Ja, de woningnood is enorm.'

'Ik bof werkelijk dat ik daar ben aangenomen, en dat nog wel op een veelbelovende positie met goede promotiekansen voor de komende jaren. Vanaf Rotterdam-Zuid rijden er personeelsbussen richting het bedrijf, niet alleen voor de arbeiders, die beginnen vroeger, maar ook voor het kantoorpersoneel dat pas om halfnegen hoeft te beginnen. We worden op een paar punten keurig opgehaald, en pal voor het hoofdkantoor afgeleverd. Niettemin zal ik zo snel mogelijk een auto nodig hebben.'

'Toe maar! Een auto nog wel.'

'Mijn werk is half op kantoor en half technisch in de buitendienst en zal ook de nodige vergaderingen met zich meebrengen. Dat alles gebeurt niet alleen op het terrein van het bedrijf. Ik moet zakenrelaties kunnen bezoeken. Eerst gebeurt alles onder begeleiding van mijn toekomstige chef. Dan kan ik met hem meerijden, maar daarna ben ik vooralsnog aangewezen op openbaar vervoer en dat kost veel te veel tijd. Tijd van de baas. Jos zegt dat ik maar beter een motor kan kopen, dat is goedkoper dan een auto.'

'Veel mannen vinden een motor leuk. Onze huisarts bezoekt zijn patiënten ook op een motor.'

Hij moest lachen. 'Ik houd wel van comfort. Vooral als het regent of tijdens de winterdagen. Dus het wordt een auto. Maar goed, Joke, wat ik je wilde vragen: ten eerste of ik je adres mag hebben en je een keer op mag komen zoeken in de stad. Ik ken daar uiteindelijk helemaal niemand. Ten tweede of jullie misschien iemand weten bij wie ik in de kost kan. Ik betaal er vanzelfsprekend goed voor. Jullie hebben toch niet toevallig zelf een kamer of een zolder over?'

'Nee, wij wonen in een portiekflat en zijn krap behuisd.'

'Zoals de meeste mensen in de stad.'

'Inderdaad. Je kunt een advertentie in de krant zetten of in het kerkblad dat daar verschijnt.'

'Of jullie hebben misschien kennissen, familie, iemand die een rustige kostganger wel ziet zitten? Een vrouw die voor mij kookt en wast en die blij is met het geld dat ze daarvoor krijgt?'

'Ik zal er navraag naar doen.'

'Dank je. Mocht je iets weten, dan kun je mij bereiken bij ons thuis, je kent ons adres. Maar mag ik dat van jou hebben?'

Ze keek hem open aan. 'Maar natuurlijk. Ik zal eens navraag doen. Mijn moeder doet veel voor de kerk, misschien weet zij een adres. Ik zal het volgende week meteen aan haar voorleggen.'

'Dank je wel.' Hij lachte, knikte toen. 'Kijk, een buizerd. Mooie vogels, vind je niet? Ze eten voornamelijk muizen, maar zijn ook niet vies van een rat. Nuttige dieren.' Hij knikte naar een omgevallen boomstam. 'Zullen we even gaan zitten?'

Het voelde niet eens onwennig, dacht ze in stilte toen ze even later nogal dicht naast elkaar op een omgevallen wilgenboom langs een brede sloot zaten. In de sloot zwom een moedereend met haar kuikens. Ze waakte zorgvuldig over haar kroost en dat was wel nodig ook, want een blauwe reiger keek vanaf de kant met meer dan prettige belangstelling naar die rondzwemmende kleintjes. Moeder eend maakte dan ook waarschuwende geluidjes.

'De natuur verveelt mij nooit,' glimlachte Peter.

'Dat ga je missen, in de stad.'

Hij keek haar aan en zijn blik was onderzoekend. 'Mis jij dat ook?

'Ik ben in de stad opgegroeid. Ik weet niet beter.'

'Ik heb grote toekomstplannen. Zo snel mogelijk wil ik een huis kopen. Ze gaan mooie huizen bouwen aan de rand van Charlois, dat houd ik in de gaten. Zo'n beetje als hier aan de laan bij het gemeenthuis. Natuurlijk kosten die huizen veel geld, wel meer dan tienduizend gulden, maar op een huis kun je een hypotheek afsluiten als je daarnaast voldoende eigen spaargeld kunt inleggen. Over een paar jaar hoop ik dat gespaard te hebben.'

'Durf je dat aan, een huis kopen? Dat is toch maar voor heel weinig mensen weggelegd?'

'Een huis is een waardevol bezit, Joke. Maar vanzelfsprekend moet je er eigen kapitaal in kunnen steken, minstens tien procent van de waarde van het te kopen huis, anders wordt er geen hypotheek verstrekt. Als mijn werk me bevalt en ik ben vast aangesteld, dan komt dat binnen mijn bereik, want ik ben bereid flink te sparen in de komende jaren. Waar nodig wil mijn vader vast wel garant staan. Dat is dan weer een erg prettige kant van hem. Het is het grote voordeel als je een goede opleiding hebt mogen genieten. Goede diploma's zijn waardevol. Daarmee kun je ver komen in de wereld van vandaag.'

Ze knikte. 'Je bent heel anders dan Jos, die maar zo'n beetje zonder zorgen van de ene dag in de andere leeft.'

'Ja, wij verschillen inderdaad enorm.'

'Vindt Rosie het fijn om straks in de stad te gaan wonen?' Ze keek hem onbevangen en vragend aan.

Zijn blik versomberde en het duurde even voor hij antwoord gaf. 'Soms lopen dingen anders dan je eerst dacht. Rosie weet heel goed wat ze wil, en ze zal er best voor zorgen dat ze dat krijgt ook.'

Even aarzelde Joke. 'En wat wil ze dan? Jouw leven delen, neem ik aan. Kinderen, een gezin? Dat willen toch de meeste vrouwen?'

'Rosie is anders. Ze wil wel kinderen, maar een of twee, en niet zo'n schare als bij ons thuis.'

'Daar kan ik me wel iets bij voorstellen,' grinnikte Joke, al voelde ze zich toch een tikje ongemakkelijk worden.

'Ze wil vooruit komen. Mede daarom is ze ook met mij verloofd.'

Even aarzelde Joke. 'Dat klinkt niet zo fijn, Peter.'

'Misschien is het dat ook niet. Mijn ouders zijn bevriend met de ouders van Rosie. Er is altijd min of meer van ons verwacht dat we met elkaar zouden trouwen. Ik heb daar vroeger niet eens veel over nagedacht, maar toen ik eenmaal in dienst zat en keurig verloofd met haar was, ging ik steeds meer twijfelen.'

'Is dat ook een reden waarom je helemaal naar de stad wilt verhuizen?'

'Goede banen zijn in de stad gemakkelijker te krijgen dan hier in de buurt.'

'In Dordrecht zoeken ze beslist ook mensen met jouw opleiding.'

Hij knikte. 'Maar het bedrijf waar ik voor ga werken, heeft een ongekende toekomst. Stel je voor, steeds meer mensen gaan autorijden en hebben daarvoor benzine nodig. Goed, dat is duur. Benzine kost wel zesendertig cent per liter en een volle tank is dus veel geld, maar naar benzine komt veel vraag, geloof me maar. Er komen met de toenemende welvaart niet alleen meer auto's, maar ook meer schepen, de industrie groeit. De oliemaatschappij is een bedrijf met een ongekende toekomst. Daar voel ik me toe aangetrokken.'

'Je bent inderdaad een man met ambities.'

Hij lachte. 'Klinkt daar soms een afkeurende toon door in je stem?'

'Helemaal niet. Ik ben nooit zo bezig geweest met het maken van toekomstplannen.'

Hij stond op. 'We moeten weer gaan. Ik moet nog even bij mijn broer langs en dan ga ik naar Rosie om met haar naar de kerk te gaan. Wil je erover nadenken of ik je adres mag hebben?'

'Dat hoeft niet.' Ze noemde het en hij schreef het meteen op.

'Kom ons eens opzoeken,' nodigde ze spontaan uit. 'We zijn wel een heel ander gezin dan jullie. Maar op zaterdagavond spelen we ook weleens een spelletje, en mijn vader houdt erg van schaken. Hij zal blij zijn met een goede tegenstander.'

'Ik zal het onthouden,' glimlachte hij.

Ze voelde zich erg plezierig toen ze naast elkaar naar het huis van haar grootouders terugliepen.

HOOFDSTUK 6

Opa was jarig. De dag waar hij de laatste maanden zo verlangend naar uitgekeken had, was dan toch eindelijk aangebroken.

De dag voor zijn verjaardag had de oude man zich moeizaam voor de laatste keer naar zijn werk op de begraafplaats gesleept om er de grindpaden aan te harken.

Zelden had Joke haar grootvader zo rustig en tevreden gezien. Vanaf vandaag zou hij mogen uitrusten van een leven lang veel te hard werken. Opa was ervan overtuigd dat hij het vanaf deze dag stukken beter zou krijgen.

Het was eigenlijk te druk in huis voor de beide oude mensen. Joke, haar moeder en tante Lijnie hadden er de handen vol aan om voor alles en iedereen te zorgen. Er was cake, er waren kaakjes opgespoten met zelfgemaakte vanillecrème, dat was goedkoper dan slagroom. Gebakjes waren iets voor rijke mensen. Tussen de middag waren er broodjes met ham en met kaas, die zo uit het vuistje gegeten konden worden, maar wel was er voor iedereen een kop soep.

Verschillende buren kwamen langs, ook tante Koosje met al haar gezinsleden. Opa kreeg van het gezin van zijn dochter een fles jenever en oom Aad bracht een mooie kist sigaren voor zijn vader mee. Van de oom in Canada kwam er een geluktelegram. Van de buren kreeg opa voornamelijk pakjes pruimtabak, waar hij erg van hield. Hij nam alle cadeautjes dankbaar in ontvangst. De kruidenier bracht een half pondje koffie. Zelfs Betsie en Jos kwamen onverwacht opdagen, schudden de oude mensen verlegen de hand en brachten wat vers afgesneden voorjaarssla en een paar eieren van hun eigen kippen mee.

'Ik mis je,' fluisterde Betsie in de keuken, want alsof ze hier al jaren over de vloer kwam, stak ze meteen de handen uit de mouwen om Joke te helpen met de afwas van al die kopjes, glazen en schaaltjes. 'Ben je blij dat je weer gewoon thuis woont?'

Joke knikte. 'Heel erg. Straks moeten ma en ik het huis weer helemaal aan kant hebben voor we opa en oma achterlaten. We hebben tussen de middag broodjes gegeten, en voor we weggaan zet ik gesmeerde boterhammetjes voor opa en oma klaar, zodat oma de rest van de dag niets meer hoeft te doen.'

'Je grootmoeder ziet er goed uit.'

'Ze is inmiddels weer helemaal hersteld. Het is al eens eerder gebeurd dat haar suiker zo ontregeld raakte dat ze naar het ziekenhuis moest om opnieuw ingeregeld te worden.'

'Nare ziekte,' huiverde Betsie.

'Haar eigen moeder is er al jong aan overleden. Toen was er nog geen insuline. Oma wordt elke dag twee keer gespoten door de wijkzuster. Die komt elke morgen en elke avond op een vaste tijd langs om de prikken te geven. Ik heb vroeger haar benen weleens gezien. Helemaal blauw, kapotgespoten door de dikke naalden die daarvoor gebruikt moeten worden. Het zijn grote, ijzeren naalden.'

De twee jonge vrouwen griezelden samen en moesten toen weer lachen. 'Gelukkig zijn wij gezond.'

'Is je oma niet bang van die prikken?' rilde Betsie echter met afschuw.

'Ze zegt er nooit iets over, want ze weet dat ze zonder die prikken niet lang meer te leven heeft.'

'Nu zie ik je alweer een hele tijd niet. Ik mis je. We moeten elkaar gaan schrijven, goed? Ik heb je zoveel te vertellen, moet je weten.' Betsie boog zich naar Joke toe een ging fluisterend verder. 'Ik heb je toch verteld van Arie? Ik ben stapel op hem, moet je weten. Maar mijn vader mag er niets van weten, dat begrijp je. Katholiek! Dat is voor hem bijna even erg als de duivel.'

'Daar moet je niet mee spotten,' vond Joke, terwijl ze het granieten aanrecht droog maakte met een vaatdoekje, het afwasteiltje uitspoelde en ophing om te drogen, samen met de afwaskwast.

'Je moet ons op komen zoeken zodra je weer hier bent. Beloof je dat?'

Joke moest lachen. 'Graag. Trouwens, ik heb Peter nog weleens gesproken omdat hij een kosthuis zocht. Heeft hij al iets gevonden?'

'Nog niet. Reden te meer om elkaar op de hoogte te houden! Mijn broer zal straks best eenzaam zijn in de grote stad waar hij verder niemand kent, behalve jou dan. En ik heb het gevoel dat jij mijn vriendin bent.'

Joke keek Betsie verrast aan. 'Dat klinkt leuk,' zei ze toen. 'Ik wil jouw vriendin graag zijn. In de stad heb ik weliswaar buurmeisjes, collega's op het atelier, kennissen van de kerk die het een en ander organiseren voor ons of die ik nog ken van catechisatie en die ik geregeld zie, maar een echte vriendin, nee, eerlijk gezegd heb ik die niet.'

Betsie grijnsde. 'Zullen wij dan vriendinnen zijn?'

'Graag,' antwoordde Joke. 'Kom, we gaan weer bij de anderen zitten. Jos zit al de hele tijd met Flip te schaken.'

'Hij wil heel graag een goede indruk op je familie maken. Mag hij zo nu en dan een paar regels onder mijn briefjes zetten? Hij was meteen verkikkerd op je.'

'Welja, maar ik zal eerlijk zijn, Jos heeft blijkbaar gedachten in zijn hoofd die ik niet deel, begrijp je?'

'Je bedoelt dat je nu al weet dat het nooit wat wordt tussen jullie.'

'Precies. Maar nog meer: als ik daar al anders over zou denken, komt hij met zijn vader in conflict en daar zou hij nooit mee om kunnen gaan.'

'Je hebt gelijk.'

'Peter heeft gevraagd of hij zo nu en dan bij ons langs mag komen, als hij over een poosje in de stad woont.'

Betsie moest lachen. 'Wat een rare. Hij moet zorgen dat hij een huis krijgt, dan kan hij eindelijk met Rosie trouwen. Zij wil dolgraag en wordt ongeduldig omdat hij zo lang moest leren en ook een hele tijd moest dienen. De wederzijdse ouders zien het ook graag tot een huwelijk komen. Ze hebben nu een paar jaar verkering en zijn alweer een jaar verloofd, zonder dat hij veel haast maakt om te gaan trouwen. Daar maakt mijn moe zich zorgen over, heeft ze eens gezegd.'

'Het is toch niet ongebruikelijk dat hij eerst een goede baan wil hebben en wil sparen, voor hij gaat trouwen en een gezin sticht?'

'Dat weet ik wel, maar Rosie is ongeduldig geworden van al dat wachten. Ze hebben er afgelopen zondag zelfs ruzie om gehad.'

Joke wist niet of Betsie wist dat Peter haar was op komen zoeken, maar ze besloot er wijselijk niet over te beginnen. Als ze aan Peter dacht, maakte haar hart een sprongetje en daar moest ze voor oppassen. Hij was verloofd en bovendien van een andere kerk. Hij had een vader die het niet zou accepteren als zijn zoon thuiskwam met een vrouw van een andere kerk. Twee geloven op een kussen, daar sliep de duivel tussen, was de gangbare mening. Betsie besefte dat eveneens, al leek ze nog zo verliefd te zijn op haar Arie.

Eindelijk was iedereen weer vertrokken. Opa was moe en beloofde meteen na het avondbrood in bed te gaan liggen, al was het voornamelijk omdat oma zo ongerust over hem was. Hij had de laatste weken alle dagen gewerkt, en oma had zich veel zorgen over haar man gemaakt.

Tegen halfvijf in de middag namen ze afscheid. Oom en tante gingen ook mee met de trein, terug naar de stad en vandaar met de stoomtram terug naar hun boerderij in Numansdorp.

Joke stopte de koffer die hier nog was achtergebleven tussen de snelbinders van haar fiets. Het was regenachtig en er stond een flinke wind, die ze grotendeels tegen zou hebben, maar ze had vanmorgen toch op de fiets naar Zwijndrecht willen gaan. Misschien was dat minder verstandig geweest, maar Flip had er net zo over gedacht. Lies niet, die was met haar ouders met de trein gekomen. Lies had als gewoonlijk het hoogste woord en riep 'Tot straks! Jullie zullen wel moe zijn, eer jullie weer thuis zijn.' Eigenlijk vond ze het wel lekker om zo hard te moeten trappen, bedacht Joke een halfuurtje later. Ze wisselde af met Flip, om beurten reden ze voorop.

Het was toch wel een tikje saai geweest, de tijd dat ze een paar weken geleden bij de oude mensen in huis was geweest. Maar ze had het met liefde gedaan, dat wel.

Er waren geen problemen geweest toen ze weer aan het werk ging. Niettemin zei mijnheer dat hij hoopte dat haar ouders een andere oplossing zouden vinden als het zich nog eens voor zou doen, omdat hij geen werkneemster wilde die regelmatig wekenlang wegbleef. Een keer, goed, maar het moest beslist geen gewoonte worden.

Toen ze bijna thuis was, bedacht Joke dat het verstandig was om haar ouders te vertellen dat de broer van Betsie en Jos nog steeds geen kosthuis had gevonden, maar dat hij wel graag zo nu en dan langs wilde komen als hij eenmaal in de stad woonde, omdat hij er verder niemand kende. Dat deed ze die avond toen ze met elkaar nog een kopje koffie dronken na de reis. Pa had vanuit de tram met Flip bij de snackbar in de buurt patat, kroketten en frikandellen gehaald, zodat ze toch nog iets warms te eten hadden.

Toen ze haar vader vertelde dat Peter volgens Betsie goed kon schaken, verheugde deze zich meteen op een dergelijk bezoekje.

Die avond kon Joke de slaap maar moeilijk vatten. Toen ze wakker werd, besefte ze te hebben gedroomd over de familie Boerlage, maar niet over Jos en zelfs niet over Betsie, maar vooral over Peter. Dat maakte haar een beetje ongerust.

Inmiddels was het Pinksteren geweest. Ma Van der Sluis ging nu om de andere week naar haar ouders toe, ook al maakte pa Van der Sluis zich zorgen over de extra kosten die dat reizen met zich mee bracht. Het betekende dat er niet langer gespaard kon worden voor de stofzuiger die zijn vrouw zo graag wilde hebben om te worden verlost van het eindeloze vegen en zwabberen. Vader Van der Sluis was ouderwets waar het geldzaken betrof. Als hij zijn loonzakje thuis bracht, ging het sigarenkistje open waarin hij zijn geldzaken regelde. In dat kistje zat een stapel oude loonzakjes waar hij de vaste onkosten op had geschreven. Huur, gas en licht, kolen, kleding. Er waren nog meer zakjes, overal werd afgepast geld in gestopt. De rest werd op de bank gezet, daar was het veilig en dat bracht rente op.

Ma Van der Sluis kreeg elke week een afgepast bedrag van haar man voor het huishouden. Het was haar verantwoordelijkheid om daarvan rond te komen. In het kledingzakje werd tevens gespaard om grotere uitgaven te kunnen betalen. Een nieuwe winterjas, schoenen, een nieuwe hoed om te dragen bij de kerkgang. Maar ondanks alle zuinigheid waren alle gezinsleden zich ervan bewust dat het langzamerhand beter ging met de mensen in het land. De angstperiode van de oorlog was voorbij. Er was nog wel vreselijke woningnood, maar de bonnen op van alles en nog wat waren afgeschaft. Wie zuinig met zijn geld omging, kon meer kopen dan in vele jaren daarvoor, de zware crisisjaren dertig en de nog zwaardere oorlogsjaren. De grootste angst van de mensen nu was voor Rusland en atoombommen. Iedereen besefte het grote gevaar dat daarvan uitging. Overal werden dan ook schuilkelders gebouwd en de BB, bescherming bevolking, hield geregeld oefeningen.

Opa knapte langzaam maar zeker verder op nu hij niet langer zo hard hoefde te werken. Hij deed niet veel anders meer dan in zijn stoel zitten en wat voor zich uit kijken. Opa had nooit goed kunnen lezen. Soms luisterde hij naar de radio, naar het nieuws en de weerberichten, en dan ging het apparaat weer uit, want velen vonden een radio toch een apparaat van de duivel dat veel slechtheid in de huiskamer bracht. Een uitzondering werd door opa en oma gemaakt als er een kerkdienst werd uitgezonden. Als opa en oma te moe waren om het hele stuk naar hun eigen kerk te wandelen en bovendien zo lang in de ongemakkelijk smalle houten banken te zitten, voor ze het hele eind terug moesten wandelen, luisterden ze samen soms naar de radiodominee, al maakten ze zich wel bezorgd over de vraag of hun eigen dominee dat wel goed zou keuren. Maar ma had haar ouders daarover zo veel mogelijk gerustgesteld, wist Joke.

Onverwacht ging op een zaterdagavond eind juni de bel over, terwijl ze niemand verwachtten. Het was Lies die opendeed en even later de kamer binnenkwam waar Joke samen met haar moeder bezig was een legpuzzel te maken.

Ze moest beslist gebloosd hebben toen Peter onverwacht binnenkwam en hen allemaal de hand schudde. 'Dit is een andere broer van Betsie en Jos,' lachte Joke een tikje opgewonden, en Lies trok een grijns achter de rug van Peter, die zoveel betekende als: knappe kerel, komt die voor jou?

Maar pa dacht al aan het schaakspel en ma haastte zich naar de keuken om koffie voor de onverwachte gast in te schenken. Joke was de legpuzzel al bijna vergeten. Peter ging een beetje onwennig zitten en ze stelde met verbazing vast dat hij zelfs een tikje verlegen leek te zijn.

'Ben je al begonnen op je werk?' vroeg ze omdat de stilte die gevallen was maar liever niet te lang moest duren. Ineens vond ze het verschrikkelijk belangrijk dat hij zich welkom voelde bij haar thuis.

'Nog niet, maar ik heb eindelijk woonruimte gevonden en ik ben deze week verhuisd. Onze dominee heeft via een gemeentelid uiteindelijk een goed adres voor mij gevonden. Een weduwvrouw woont hier vlakbij aan een singel.

Haar enige zoon is het huis uit en woont helemaal in Alphen aan de Rijn. Ze is een paar jaar geleden weduwe geworden en kan de extra inkomsten goed gebruiken. Ik heb op de bovenverdieping een zitkamer en een slaapkamer, beide gemeubileerd. Er is alleen jammer genoeg geen douche in huis. Bovendien hebben we afgesproken dat ik de tuin voor haar zal onderhouden, wat haar zwaar begint te vallen. Dat drukt het bedrag dat ik haar moet betalen voor onderdak, het eten en de was die ze voor mij gaat doen. Mevrouw Naerebout is aardig, maar wel een tikje bemoeizuchtig. Ze wil steeds weten waar ik heen ga en hoe laat ik terug ben.' Hij lachte en Joke ving zijn blik. Een prettige tinteling trok door haar heen.

Haar moeder kwam weer binnen met de koffie en hoorde dat laatste. 'Het klinkt bijna alsof ze je behandelt als haar zoon.'

'Zo ongeveer, ja. Maar het kon slechter. Het is hier maar een kwartiertje lopen vandaan.' Hij noemde het adres en vertelde dat daar ook telefoon was. Als ze bericht wilden sturen naar Zwijndrecht, konden ze altijd bij hem komen bellen. Het toestel hing daar in de gang en hij mocht er gebruik van maken. Ook in verband met zijn werk was dat erg prettig.

Zijn ouders waren mee geweest om te kijken. Hij had zijn spullen meegenomen, was drie keer heen en weer gefietst en had foto's en wat spullen van thuis neergezet om zich beter thuis te voelen.

'Vind je het naar om op jezelf te wonen?' vroeg Lies nieuwsgierig.

'Welnee. Ik heb bijna twee jaar in dienst gezeten, daar heb je ook nauwelijks iets van jezelf en ben je bovendien zelden alleen. Dat vond ik het moeilijkst van alles.'

'Nuttig, diensttijd,' vond pa Van der Sluis terwijl hij de schaakstukken al had neergezet. 'Zwart of wit? Of tossen?'

'U mag kiezen,' grinnikte Peter. 'Ik heb in dienst vaak

geschaakt in de lange avonduren.'
'Ze maken er van jongens kerels,' was de overtuiging van de oudere man. 'Goed dan, ik speel het liefst met wit, om de simpele reden dat ik dan met de eerste zet mag openen.'
Peter schoot in de lach. Zijn ogen vingen opnieuw een fractie van een seconde die van Joke. Ze durfde er een eed op te doen dat hij haar een knipoogje gaf, dacht ze blozend en haastig boog ze zich weer over de legpuzzel heen. Lies grinnikte, maar gelukkig hield ze haar mond, dacht Joke nog. Flip keek belangstellend toe, want hij kon nog niet zo goed schaken en kon wat van de zetten leren om beter te gaan spelen. Hij had grote bewondering voor zijn vader en zag dan ook verbijsterd toe hoe Peter de oudere man al na een zet of twintig schaakmat had gezet.
'Ik heb zeker zitten suffen,' bromde de oudere man. 'De hele week avonddienst gehad, maar gelukkig ben ik morgen vrij.'
'U heeft dus continudiensten?' vroeg Peter geïnteresseerd. 'Men zegt altijd dat het zwaar is om 's nachts te moeten werken, zeker als een mens niet meer zo jong is.'
Ma grinnikte om die opmerking, maar hield wijselijk haar mond. Bij het derde spelletje liet Peter galant de oudere man winnen door net te doen alsof hij een paar stomme zetten had gedaan, tenminste, zo dacht Joke erover.
Hij rekte zich uit. 'Ik mag niet al te lang misbruik maken van jullie gastvrijheid,' liet hij weten. 'Ik hoop dat ik nog eens langs mag komen?'
'Maar vanzelfsprekend,' lachte haar moeder.
'Graag zelfs,' bromde haar vader.
'Willen beide jongedames nog even een blokje om, om een frisse neus te halen?' vroeg Peter daarna. Lies stond als eerste op. Joke begreep dat hij graag wat met haar wilde praten, maar het was ongehoord om alleen met hem te gaan wandelen, zeker nu het al wat later op de avond was

geworden, al was het nog niet donker in deze tijd van het jaar.

'Je bent verloofd, zie ik?' vroeg haar moeder haastig.

'Ja mevrouw. Ik ga voortaan om de andere week naar huis, heb ik afgesproken, en dan zie ik tevens mijn verloofde Rosie. Joke kent haar wel.'

'O, dan is het goed.'

Joke voelde wat haar moeder bedoelde. Even was ze bang geweest dat deze onbekende jongeman zijn oog op haar dochter had laten vallen, maar hij was degelijk verloofd en dat stelde haar weer gerust.

Niet veel later liep ze naast hem door de haar zo vertrouwde straten. 'Ik zal laten zien waar ik woon, en dan lopen we door een paar andere straten weer terug,' stelde hij voor.

'Goed,' antwoordde ze, want ze was best nieuwsgierig. Lies kwebbelde er de hele tijd onbekommerd op los. Peter stak Joke na een paar minuten zijn arm toe. Ze aarzelde slechts kort voor ze haar hand om zijn elleboog haakte. Het voelde prettig om zo naast hem te lopen, gearmd, en de kwebbelende Lies aan zijn andere kant werd ook de arm aangeboden, maar zijn ogen rustten keer op keer op Joke.

Ze was het zich bewust, en ze besefte maar al te goed hoe zij op hem reageerde. Hij had belangstelling voor haar en hij maakte iets in haar los dat ze nooit eerder had gekend. Maar hij was verloofd, hij had al heel lang omgang met Rosie, die behoorde al bijna tot zijn familie, die was van zijn eigen kerk. Eigenlijk moest ze hier afstand van nemen, besefte ze, maar ze kon het niet. Het was heerlijk en vreemd genoeg bijna vanzelfsprekend om met hem door de straten van de stad te lopen.

Hij vroeg haar of ze nog steeds op het atelier werkte en ze kon zeggen dat dit inderdaad het geval was. Eerst hadden zowel mijnheer als de cheffin wat afstandelijk gekeken, maar toen ze had verteld hoe beide oude mensen eraan toe waren geweest, waren ze wat milder geworden en toonden niet langer afkeuring voor het feit dat ze haar werkgever zomaar in de steek had moeten laten. Intussen was het bijna of ze nooit was weggeweest.

Nogal onverwacht knikte hij. 'Dat is mijn kosthuis. Kom, ik laat jullie even mijn kamers zien en dan breng ik jullie weer terug.'

Het was een groot huis, een hoekhuis van een rijtje van vier. Het lag aan een singel. 'Het lijkt vast op het huis zoals je eens zei dat je later wilt kopen,' stelde Joke hardop vast.

Hij grijnsde. 'Ik zou dit inderdaad wel willen hebben. Mevrouw Naerebout zegt soms dat het huis haar te groot en te bewerkelijk is geworden. Misschien kan ik het over een paar jaar van haar kopen. Daar zou ik best blij mee zijn, maar nu heb ik nog geen vaste aanstelling en kan ik het niet betalen.'

Ze bekeek de kamers, zag de telefoon in de gang. De oudere dame werd voorgesteld en knikte welwillend toen ze hoorde dat Joke bevriend was met de zus van haar kostganger en weleens bij hen over de vloer was geweest in Zwijndrecht. Daarna liepen ze door een paar andere straten terug. Lies liep op een gegeven moment voor hen uit, Peter stak Joke zijn arm opnieuw toe.

'Over twee weken ben ik weer het weekeinde hier. Ik heb me laten vertellen dat er hier op Zuid een heel beschaafde gelegenheid is om te dansen. Mag ik je daarvoor uitnodigen, Joke?'

Ze weifelde even. 'Vindt Rosie dat goed?'

'Ze kent je immers en weet dat ze mij vertrouwen kan. Maar ik zou heel graag gaan en ook met jou willen praten. Is het goed? Mag ik je over twee weken om halfacht op komen halen, of moet ik eerst toestemming vragen aan je vader?'

Ze keek hem verlegen aan. 'Ik ben nog nooit met een jongen uit geweest, maar Lies mocht van school naar dansles en die heeft het mij weer geleerd. Maar hoe heb jij eigen-lijk leren dansen? Mensen van jouw kerk vinden dansen immers een verdachte bezigheid, waar je je maar liever verre van moet houden.'

Hij lachte onbekommerd. 'Ik heb het in dienst geleerd en het altijd beschouwd als een nuttige aanvulling op mijn opvoeding. Stijldansen hoort bij de opvoeding, zo denk ik erover, en dat is toch heel wat anders dan die moderne rock and roll van de laatste tijd.'

Ze schoot in de lach en ontdekte dat ze veel te snel weer thuis was. Hij nam keurig afscheid van beide jongedames door ze een hand te geven, maar Joke wist die avond wel beter toen haar gedachten haar maar uit haar slaap hiel-den. Zij was onder de indruk van hem, en hij was geïnte-resseerd in haar. Geen verloofde die daar iets aan kon ver-anderen.

HOOFDSTUK 7

Ze was onzeker. Ze had wel honderd keer in de spiegel gekeken, maar probeerde dat te verbergen voor de altijd nieuwsgierige Lies. Nog nooit had ze er zo lang over gedaan om erover na te denken wat ze aan moest trekken, maar ach, veel keus had ze uiteindelijk niet. Net als haar moeder en Lies had ze twee zomerjurken, twee winterjurken en een zondagse jurk die ze zowel in de zomer droeg als in de winter, met een vestje erop en met zo nodig ook nog een roze zelf gebreide borstrok eronder. Vroeger had Lies haar kleren af moeten dragen, maar nu ze bijna even groot waren, kon dat niet langer. Zou ze vanavond misschien de nieuwe petticoat van haar zus lenen?

Een paar dagen geleden had ze in de pauze op haar werk een nieuwe lippenstift gekocht. Een lichte, zodat het niet te veel op zou vallen. Ze had haar haren getoupeerd, zoals nu in de mode was.

Joke wist best dat ze zich aanstelde. Ze wist ook dat ze vanaf het eerste moment erg onder de indruk van Peter was, al mocht ze daar niets van laten blijken omdat hij al verloofd was. Ze verheugde zich mateloos op vanavond en schold zichzelf daarover in stilte uit.

Hij was eenzaam nu hij net in de grote stad woonde. Hij miste zijn familie, zijn verloofde, hij had vastomlijnde toekomstplannen en daarin speelde zij geen rol. Ze was slechts sinds kort bevriend met een van zijn zusjes en hij zocht wat vertier in de eenzame weekeinden in de voor hem nog zo vreemde stad. Dat was alles.

Maar er was ook dat andere stemmetje, dat stemmetje dat zei dat het zomer was, dat hij zijn fiets hier had, dat hij gemakkelijk op de fiets naar Zwijndrecht kon rijden als hij zaterdagmiddag vrij was, en als zijn vader er niet moeilijk over deed dat hij zondagmiddag terug fietste, was zijn familie opzoeken geheel niet bezwaarlijk. En toch deed hij dat niet elke week. Toch was hij hen twee weken geleden op komen zoeken en kon hij nu elk moment aanbellen om haar op te halen, waarna ze samen zouden gaan dansen.

Lies had al zitten vissen of ze niet mee zou kunnen gaan, maar zeggen dat ze dat niet wilde deed Joke natuurlijk niet. Ze hoopte maar dat Lies haar mond zou houden en Peter niet zou vragen of ze ook mee mocht. Dan was het niet uitgesloten dat hij dat uit beleefdheid niet zou weigeren.

Ze schrok toch nog toen de bel ging en het was Lies die meteen door de gang naar de deur huppelde om open te doen. Ze moest natuurlijk wachten tot hij al die trappen op geklommen was. Samen wachtten ze in de gang. Hij grinnikte toen hij hen zag staan. 'Ik verheug me op vanavond, Joke.'

'Wil je pa en ma niet even gedag zeggen, dan kunnen we daarna weggaan,' glimlachte ze terwijl ze hem de hand schudde.

In het voorbijgaan kneep hij Lies speels in de wang. 'En wat ga jij vanavond doen, jongedame? Schaken met je vader?'

'Pa zou je liever hier houden,' antwoordde het meisje ad rem. 'Hij heeft wel in de gaten dat jij veel beter speelt dan hij en hij is meer dan bereid om van je te leren.'

Hij grinnikte onbekommerd. 'Volgende keer, afgesproken?'

Hij gaf haar ouders een hand. Pa hield nog net een preek binnen over op zijn dochter passen en zich netjes gedragen. Peter wimpelde een goedbedoeld aangeboden kop koffie af met de woorden dat hij die net op had en keek Joke aan. 'Zullen we dan maar?'

Lies opende haar mond en Joke zei haastig dat ze klaar was. Lachend liepen ze de gang door, de trappen af. Buiten aarzelde hij. 'Ik ben met de fiets. Wil je achterop of fiets je liever zelf?'

'Ik neem mijn eigen fiets wel. Weet je waar we moeten zijn?'

76

'Zo ongeveer. Ben jij er weleens geweest?'
Ze schudde het hoofd. 'Mijn vader ziet me aankomen dat ik alleen naar zo'n gelegenheid zou willen gaan! Ik hoop maar dat ik niet op je tenen ga staan als je met mij danst.'
Ze liep de keldertrap af en kwam even later met haar fiets boven. 'Ik moet je eerlijk bekennen dat ik nog nooit met een man heb gedanst, alleen maar met Lies toen ze het mij leerde.'
'Mooi, dan is het de hoogste tijd voor wat oefening. Als je mij maar goed volgt, komt alles vanzelf in orde. Ik heb er zin in, Joke.'
'Ik ook.' Ze durfde niet te vragen of hij weleens met Rosie uit dansen was geweest. Waarschijnlijk niet. Hun vaders zouden dat dansen zeker niet goedkeuren.

Het was er druk. Het was de belangrijkste en goed bekendstaande uitgaansgelegenheid van Rotterdam-Zuid. In het midden was de houten parketvloer glimmend gewreven en leeg. Rondom zaten banken aan de muur vast en stonden tafeltjes en stoelen waar al veel jongelui zaten te wachten op wat komen ging.
Niet veel later werd de muziek opgezet. 'Een foxtrot, dat is een mooie dans om mee te beginnen.' Hij stond op, knoopte zijn jasje dicht en boog licht, zoals dat hoorde. Joke stond zenuwachtig op en voelde zich in de zevende hemel toen hij even later zijn arm om haar middel sloeg en ze bijna als vanzelf over de parketvloer gleed. De basispassen kende ze goed, een linkse draai lukte ook en zelfs de rechtse draai, ze volgde hem blijkbaar moeiteloos. 'Je danst prima,' zei hij onverwacht dichtbij in haar oor.
'Heb jij veel gedanst?'
'In dienst wel, maar thuis vanzelfsprekend nooit.'
'Weet je vader eigenlijk wel dat je kunt dansen?'
'Nee zeg, wat denk je!'
'En Rosie?'
'Ik heb haar verteld dat ik het geleerd heb. Zij wilde het

ook wel graag leren en we hebben zelfs weleens stiekem wat geoefend, maar ze was altijd bang dat haar vader erachter zou komen, begrijp je?'

'Jammer. Dansen is toch zo onschuldig als het maar zijn kan?'

Hij keek haar aan, zijn bruine ogen plotseling heel dichtbij. 'Jawel, maar het kan ook anders en dat hoef ik jou niet uit te leggen.'

Ze bloosde dat het een aard had en keek niet langer in zijn ogen, maar naar de grond. 'Ik ben niet zo door de wol geverfd, geloof ik.'

Even nam de druk van zijn arm toe, even voelde ze hoe haar lichaam het zijne raakte en onderkende ze de opwindende intimiteit ervan. Zijn hand streelde de hare. Toen was er direct weer afstand. 'Ik haal heus geen gekke dingen uit. Je kunt me vertrouwen, Joke.'

Ze keek weer omhoog, maar wist het zo net nog niet. En als hij zichzelf wel vertrouwde, kon ze dan wel instaan voor haar eigen gevoelens? Ze was in de war en hij moest dat zien.

De dans was afgelopen. 'Het spijt me, Joke. Maar voor één moment was de verleiding te groot. Je hoeft er niet bang voor te zijn, het zal niet nog een keer gebeuren.'

Wat was er feitelijk gebeurd? Ze had een mond vol tanden, accepteerde dat hij wat te drinken ging halen, en nee, ze wilde geen tic in haar limonade.

Hij lachte en toen ze een tiental minuten later wegzweefde in een Weense wals, voelde ze zich weer op haar gemak bij hem. Maar een ding was duidelijk geworden, besefte ze een uurtje later toen ze op adem kwam en in het toilet in de spiegel keek en haar stralende ogen zag: ze was verliefd. En als hij niet al verloofd was geweest, zou ze er een eed op durven doen dat hij zich evenzeer tot haar voelde aangetrokken als zij tot hem.

'Hoe laat moet je thuis zijn?' vroeg hij nadat ze zich even later hadden gewaagd aan een chachacha, maar ze had daarvan alleen maar de basispassen geleerd van Lies en ze kon zijn variaties niet volgen. Hij nam haar mee naar hun tafeltje en glimlachte dat ze eigenlijk samen op les moesten gaan, maar daarop antwoordde ze slechts: 'Doe niet zo gek.' Daarna was de stilte gevallen die hij nu doorbrak met zijn vraag.

'Halfelf, heeft mijn vader gezegd.'

'Het is nu halftien. Er is een park vlak bij jullie huis. Ik zou daar graag even met je willen wandelen. Ik wil met je praten en daarvoor is het hier te druk.'

Ze keek hem aan. Hij had die blik weer in zijn ogen, maar hoewel ze wist dat ze beter hier kon blijven, zeiden haar lippen dat ze zelf ook graag wat frisse lucht wilde inademen.

Ze hadden hun fietsen tegen een boom gezet en liepen even later over een schelpenpad langs een waterpartij. Eenden snaterden, enkele zwanen zwommen statig rond, een paar meerkoeten zaten elkaar achterna en maakten daarbij nogal wat kabaal. Een fuut dook onder om een visje te vangen. Het was rustig in het park. Ze liepen naast elkaar, Peter raakte haar niet aan, bood haar zelfs zijn arm niet. Pas nadat ze een vijftal minuten zwijgend naast elkaar hadden gelopen, knikte hij naar een bankje. 'Laten we daar even gaan zitten.'

'Goed.'

Ze voelde zich opgelaten, begreep dat er ergens over gepraat moest worden en was bang voor wat er zou komen. Ze ging zitten en hij zat naast haar. Een paar tellen later schoof hij naar haar toe. Zijn woorden overvielen haar totaal. 'Ik ben verliefd op je. Meteen vanaf het eerste moment dat ik je in de ogen keek, wist ik al: dit is ze.'

Secondenlang zat ze met haar mond vol tanden, voor ze met een rood hoofd hakkelde: 'Maar je bent verloofd.'

'Ja, al een jaar. Ik deed wat mijn ouders van mij verwachtten en Rosie ook, al waren haar gevoelens er meer bij betrokken dan de mijne. Maar ik kan het niet ontkennen, al heb ik dat in de afgelopen tijd wel geprobeerd. Ik heb veel nagedacht en een besluit genomen. Ik ga niet met Rosie trouwen, Joke.'

'Maar…'

'Ik weet wat je zeggen wilt: je kent me nauwelijks en je ziet niets in mij.'

'Dat wilde ik helemaal niet zeggen.'

'Wat dan wel?'

Ze keek naar haar handen en kreeg slechts een diepe kleur.

'Laten we eerlijk zijn tegen elkaar, en samen uitzoeken hoe we daarmee om moeten gaan. Los van jouw reactie, ik weet zeker dat ik niet met Rosie ga trouwen. Ik blijf wel alleen, als ik misschien geen indruk op jou heb gemaakt.'

'We hebben elkaar immers maar een paar keer ontmoet.'

'Dat is waar, maar in mijn hart voel ik gewoon dat het goed zit.'

Ze keek hem aan. Zijn ogen leken diep tot haar door te willen dringen. 'Goed dan. Ik was ook best onder de indruk van jou,' zei haar mond toen, al brulde haar verstand dat ze die beter dicht had kunnen houden.

Zijn ogen kregen een zachte glans. 'Kijk niet zo bang.'

'Ik ben niet gewend om zo openlijk over mijn gevoelens te praten. Ik heb nog nooit verkering gehad, ben eigenlijk helemaal niet aan jongemannen gewend.'

'Ik ben gewoonlijk ook niet zo vertrouwelijk met iedereen, maar ik vind dat het nu nodig is. Ik wilde met je gaan dansen om de gelegenheid te hebben je alleen te spreken. Volgende week maak ik een einde aan mijn verloving. Dat besluit staat vast, zelfs al wil jij niets meer van mij weten. Mijn beslissing zal veel opschudding geven thuis, en Rosie zal diep teleurgesteld zijn, maar een huwelijk is voor het leven, Joke, en ik kan dat niet aangaan nu ik heb ontdekt dat er zoveel meer belangrijk is dan de overweging dat het verstandig zou zijn om met haar te trouwen.'

'Je ouders zullen zwaar teleurgesteld zijn.'
'Inderdaad, maar beter nu dan over een paar jaar, als ze vast moeten stellen dat ik getrouwd ben en dat ik daar ongelukkig onder ben geworden. Dan is er geen weg terug meer, dat weet jij net zo goed als ik. Geloof me, ik ken in onze familie bij mijn ooms en tantes genoeg van dergelijke verstandige, maar liefdeloze huwelijken. Nu ik jou heb ontmoet, weet ik dat ik dat anders wil.'
Ze knikte.
'Als ik niet meer gebonden ben, wil ik je beter leren kennen. Wil jij dat ook?'
'Dat weet je best.'
'Zeg het dan.'
'Ik vind het moeilijk om te zeggen.'
'Ik ook, dus we moeten het allebei leren en dat kan alleen door het te doen en elkaars gevoelens zo beter te leren kennen.'
'Ik wil je zeker heel graag beter leren kennen, Peter, maar het is zo'n nare gedachte dat Rosie ongelukkig wordt omdat wij elkaar hebben ontmoet.'
'Daar hoef jij je niet schuldig over te voelen.'
'Misschien niet, maar toch doe ik dat.'
Zijn hand pakte onverwacht de hare vast. Het leek wel of er een elektrische stroom van uitging. Hun ogen vonden elkaar en ze slaakte een zucht. 'Hoe kan ik hier nu nee tegen zeggen?' verzuchtte ze.
'Liefde is een groot geschenk van God, zou ik willen zeggen. Laten we er dankbaar voor zijn dat we elkaar hebben ontmoet voor ik met Rosie ben getrouwd.'
'Je vader zou ongetwijfeld mompelen dat het verleiding van de duivel is.'
'Zeker, en dat is waar. Maar Joke, wij doen geen slechte dingen. Ik beëindig mijn verloving op een nette manier en zal eerlijk zijn dat ik heb ontdekt dat mijn gevoelens niet diep genoeg gaan om dat huwelijk met vertrouwen aan te kunnen gaan. En daarna leren wij elkaar beter kennen,

ongeacht hoe dat verder uit zal pakken.'
Ze knikte. Hij boog licht naar haar toe. 'Ik zou je zo graag een zoen geven.'
Ze bloosde nog dieper. 'Ik ben nog nooit gezoend.'
'Moet ik wachten? Volgende week zie ik je niet, maar over twee weken kom ik weer schaken met je vader en probeer ik het voor elkaar te krijgen dat we een stukje gaan wandelen zonder je zus, die vanavond overigens stond te popelen om intimiteiten als deze te verhinderen.'
Ze schoot in de lach. 'Lies wil gewoon een onschuldig pretje hebben.'
'Dat geven we haar wel eens. We nemen haar een keer mee om te gaan dansen, maar pas als wij verkering hebben. En Joke, mag ik, of geef je me nu en opdoffer vanwege mijn vergaande brutaliteit?'
'Dat zou ik eigenlijk moeten doen,' vond ze, 'maar ik wil alleen maar hetzelfde als jij.'
Hij grinnikte. 'Zie je wel, je leert het wel.' Even later voelde ze zijn lippen zacht en verkennend over de hare glijden. Zijn arm kroop om haar schouders en zij leunde vol vertrouwen tegen hem aan. Wat was het heerlijk om gekust te worden. Ze legde even later haar hoofd vol vertrouwen op zijn schouder. 'Eigenlijk is het gek, hè. We weten met ons gevoel allebei dat het goed komt, maar ons verstand zegt: ho maar, rustig aan, je kent elkaar nauwelijks en bovendien...' Toen zat ze ineens rechtop. 'Je vader zal het nooit goedkeuren, Peter.'
Hij keek haar recht in de ogen. 'Als jij en ik besluiten inderdaad samen verder te gaan, zullen we ervoor moeten vechten en je hebt gelijk, het zal niet gemakkelijk worden.'
'Word je daar niet onzeker van?'
'Nee.'
Toen legde ze haar hoofd opnieuw op zijn schouder. 'Samen staan we sterk.'
'Ja, dat denk ik ook wel, maar Joke, we zullen zeer beslist

voor ons geluk moeten vechten. En hoe zit het met jouw ouders?'

'Wij zijn van een minder zware kerk dan jullie. Ik denk dat mijn ouders het vooral belangrijk vinden, dat ik gelukkig word.'

'Dat zullen mijn ouders uiteindelijk ook wel gaan begrijpen, maar niet zonder strijd. Als we er verder mee zijn en we gaan trouwen, moeten we proberen samen lid te worden van dezelfde kerk, welke dat ook zal worden, omwille van de kinderen die er dan hopelijk zullen komen. Ik ben niet als mijn vader, die de Bijbelteksten tot op de komma interpreteert.'

'Wil je toch niet liever bij Rosie blijven? Dan heb je al dat gedoe niet.'

'Nee, lieverd, ik niet. Ik wil een huwelijk waarin ik van mijn vrouw houd, wat mijn ouders of anderen in onze omgeving daar ook van zullen zeggen.'

'Je toekomstplannen zijn al erg vastomlijnd. Je weet wat je wilt, met je werk, welk huis je wilt, de vrouw die je wilt.'

'Ongetwijfeld zal ik mijn plannen zo nu en dan moeten herzien. Zo gaat dat in het leven. Maar ik wil met jou verder, dat staat vast. De komende jaren moet ik spaarzaam leven om vooruit te komen. Een huis, een auto, een gezin… Misschien heb je gelijk en verlang ik te veel van het leven?'

Ze ging weer rechtop zitten. 'Ik moet naar huis. We moeten pa maar liever niet meteen tegen ons in het harnas jagen.'

'Moet ik echt twee weken wachten voor we elkaar weer zien?'

'Dat is wel het beste, al is het lang.'

Hij knikte. Zijn arm kroop om haar schouders toen ze terug liepen naar hun fietsen.

Op dinsdag waren er een brief en een kaartje voor Joke toen ze thuiskwam uit haar werk. Een kaart van Jos, een ansicht uit Zwijndrecht. *Kom je snel weer eens langs,* stond er in hanenpoten op, met een paar flinke taalfouten erin.

Ze glimlachte. Arme Jos, hij voelde kennelijk wat voor haar, maar het zou niet lang duren voor hij ontdekte dat haar interesse heel ergens anders naar uitging. Als alles ging zoals ze al een paar nachten droomde, zou hij ooit haar zwager worden!

De brief was van Betsie.

Ik moet hoognodig mijn hart luchten. Ik ben zo verschrikkelijk verliefd op Arie, maar mijn ouders mogen het echt niet weten. Hij is katholiek, zoals ik je al vertelde, en dat kan dus echt niet, zelfs al gaan ze bij hem thuis zelden of nooit meer naar de kerk. Het is natuurlijk uitgesloten dat daar ooit iets van komt. We hebben elkaar bij toeval ontmoet, omdat hij werkt bij een van de buren en daar in de schuur slaapt omdat zijn ouders helemaal in Willemstad wonen, in Noord-Brabant. We zien elkaar de laatste weken heel veel, maar altijd stiekem en ik ken niemand anders om mijn geheim mee te delen. Ik wil je heel graag weer eens zien.

Ze schrok van die brief en sliep die nacht slecht van de vraag of ze de brief aan Peter moest laten lezen als hij weer kwam, of juist niet.

Op donderdagavond was ze daar nog steeds erg onrustig over, maar ze had in de afgelopen nacht wel besloten dat ze geen geheimen voor hem wilde hebben. Toen ze 's morgens naar het atelier vertrok, moest ze daarom een heuse leugen thuis vertellen. 'We hebben veel werk en dingen die af moeten, misschien moet ik vanavond wat langer doorwerken, ma.'

'Ik maak je prakje wel warm als je er bent. Neem een extra boterham mee, voor als je erge trek krijgt,' stelde haar moeder gemoedelijk voor.

'Ja, dat is een goed idee.'

Natuurlijk was er geen sprake van overwerk. Ze fietste op

de terugweg zorgvuldig een blokje om, om te voorkomen dat ze bekenden tegen zou komen. Tegen zes uur belde ze aan en even later deed de hospita van Peter open. 'Is mijnheer Boerlage al thuis? Ik heb een berichtje gekregen van zijn zuster, die mijn vriendin is.'

'Hij is er nog niet, maar lang kan het niet meer duren. U mag wel even in de gang wachten,' glimlachte de oudere dame vriendelijk.

'Dank u.'

Er stond een stoel in de gang, daar ging ze op zitten en ze bedacht dat ze zich maar zelden zo ongemakkelijk had gevoeld. Toen een kwartiertje later een sleutel in het slot werd gestoken, bonkte haar hart in haar keel.

Hij keek erg verbaasd toen hij zag dat ze daar op hem zat te wachten. Ze stond zo haastig op dat de stoel bijna om rolde. 'Ik moet je spreken, Peter.'

HOOFDSTUK 8

Hij was van slag, dat zag ze meteen. Hij knikte naar haar om naar boven te gaan, maar zijn hospita stoof de gang is. 'U kunt geen jongedames mee naar uw kamer nemen, mijnheer Boerlage.'

'Ze is hier al eens eerder geweest. Joke is de vriendin van mijn zus en moet mij dringend spreken. Wat denkt u, mevrouw Naerebout, dat ik haar bespring of zo zodra we alleen zijn?'

De hospita kleurde net zo erg als Joke zelf. 'Het duurt niet lang, mevrouw,' haastte Joke zich om de oudere vrouw gerust te stellen. 'Ik beloof u dat ik meteen weer vertrek als we hebben besproken wat Peter moet weten.'

'Nu, vooruit dan maar. Jongelui van tegenwoordig! Ze doen maar. In mijn tijd was dat wel anders, hoor.'

Ze moesten tegen wil en dank nog steeds lachen, toen ze boven waren in zijn zitkamer. Hij wilde haar meteen in zijn armen trekken. 'Je komt het toch niet uitmaken, Joke?'

'Het is nog niet eens aan.'

'Nee, dat is waar. Wat is er? Je kijkt zo zenuwachtig.'

'Dat ben ik ook.'

'Kom er maar mee voor de dag, Joke.'

'Ik kreeg dinsdag een kaart van je broer en een brief van Betsie. Die kaart is geen probleem, maar Betsie... Ik mag niet klikken, maar aan de andere kant, als ik niets zeg, komt mijn geweten daartegen in opstand. Ik weet me er niet goed raad mee, Peter, vooral nu jij zaterdag naar huis gaat en dat ook al tot commotie zal leiden omdat je je verloving gaat verbreken.'

'Ook al? Wat is er dan met Betsie?'

'Hier.' Ze stak hem de brief toe. 'Lees zelf maar, en dan moeten we maar samen overleggen wat we ermee doen. Ik heb aan de ene kant het gevoel dat ik niet mag klikken, maar aan de andere kant wil ik geen geheimen voor jou

hebben, zeker niet omdat het jullie toch ook aangaat.'
Zijn wenkbrauwen fronsten. 'Lieve help, heeft zij ook al een geheim?'
'Het lijkt me een onschuldige jongemeisjesverliefdheid waar ze over schrijft, maar toch. Ze vertelde al eerder dat ze zo nu en dan iemand zag, een kennis van Jos of zo. Maar nu is ze duidelijk verliefd en eergisteren kreeg ik dus deze brief. Ik maak me een beetje ongerust. Ze ziet die Arie stiekem. Als wij nu, ja, na zaterdag vond ik het moeilijk om er tegen jou niets over te zeggen.'
Hij keek haar ernstig aan. 'Ik ben blij met je vertrouwen. Laten we afspreken dat we in de toekomst altijd eerlijk tegen elkaar zullen zijn, ook al is dat soms moeilijk.'
Ze knikte. 'Ik moet Betsie een brief terug schrijven en zal er wel een zin in zetten over voorzichtig zijn en doe niets onverstandigs of zo. Maar als jij zaterdag merkt dat ze zich anders gedraagt, maak dan een opmerking en vraag haar of er soms iets is.'
'Zonder te laten blijken dat ik dit gelezen heb?'
'Snap je hoe ik tussen jullie beiden heen en weer geslingerd werd?'
Hij knikte. 'Toch ben ik blij dat je gekomen bent. Ik zal kijken of er gelegenheid is om rustig met Betsie te praten voor ik naar Rosie ga, en zo niet, dan komt het over twee weken wel. Mijn zus zal heus niet in zeven sloten tegelijk lopen.'
'Ze is zo impulsief.'
'Je hebt haar maar een paar keer gezien, maar je lijkt haar goed te kennen.'
'Ze is vrolijk, aardig en spontaan. Ik voelde me meteen tot haar aangetrokken.'
Hij gaf haar de brief weer terug. 'Wat een geluk is die lekke band van jou geweest! Misschien was het wel voorbeschikt.'
Ze glimlachte. 'Wel, ik moet weer gaan. Sterkte, zaterdag.'
'Jij ook, want je zit maar af te wachten, omdat je niets

hoort. Luister, zondag fiets ik in de middag terug, voor de tweede kerkdienst. Ik wacht op hetzelfde bankje als afgelopen zaterdag, zeg om zeven uur. Probeer dan te komen. Ik zal er wel een halfuurtje blijven zitten.'

'En als het regent?'

'Het is snikheet. Maar goed,' hij haalde zijn schouders op, 'dan neem ik wel een paraplu mee.'

'Rare.'

'Dan hoef jij je niet een hele week lang af te vragen hoe het is afgelopen met Rosie.'

'Ik weet niet of ik weg kan komen zonder Lies of zelfs Flip.'

'Probeer het. Anders maak je een wandelingetje en doe ik het wel voorkomen of we elkaar bij toeval tegenkomen.'

'Liever niet. Als ik niet alleen weg kan komen, loop ik alleen een blokje om.'

'Goed dan. Ik haat dit soort stiekem gedoe, Joke. Dat moet zo kort mogelijk duren.'

Ze keek hem recht aan. 'Dat ben ik helemaal met je eens. Maar je hebt wel gelijk. Als ik je niet spreek, vreet ik me de hele week op van de zenuwen. Zie je ertegen op?'

Hij knikte. 'Heel erg. Maar het moet, niet alleen omwille van mij, maar vooral ook omdat het anders oneerlijk is tegenover Rosie. Ik hoop van harte dat ze over niet al te lange tijd weer iemand anders tegenkomt, iemand om wie ze werkelijk geven gaat. Maar met mij zou ze dat geluk nooit kunnen delen.' Hij slaakte een zucht.

Ze kon het niet laten om hem een snelle zoen op zijn wang te geven, maar hij greep haar vast en hield haar een paar seconden lang tegen zich aan. 'Dat had ik even nodig. Dank je. Nu moet je maar gaan.'

'Ja. Sterkte, Peter.'

'Jij ook, meisje.'

Ze knikte en trok even later de deur achter zich dicht. Vanuit haar ooghoek zag ze de gordijnen bewegen en ze begreep dat mevrouw Naerebout haar nakeek.

Ze was blij dat ze hem gezien had. Er viel een pak van haar hart, besefte ze, toen ze haar fiets in de kelder had gezet en de trappen op klom om boven te komen. 'Ik ben er weer.'

'Dat viel mee,' glimlachte haar moeder. 'Je bent niet eens zoveel later thuis.'

'Ik heb honger, ma.'

Die avond in bed besefte ze nogmaals, dat ze er goed aan had gedaan om eerlijk tegen Peter te zijn en met een gerust hart viel ze in slaap.

Die zaterdag voelde ze zich echter behoorlijk ongedurig. Het was nog steeds warm en zwoel zomerweer. Haar vader had nachtdienst gehad en had geslapen. Toen hij wakker was geworden, stelde hij voor dat ze met zijn allen op de fiets naar de Waalhaven zouden gaan om daar te gaan zwemmen. Lies en Flip waren meteen enthousiast en zelf dacht Joke dat de afleiding haar ook wel goed zou doen.

In de Waalhaven waren op twee pieren zandstrandjes, waar de mensen uit de buurt dankbaar gebruik van maakten om er in de zomer te zonnebaden en te zwemmen, ook al lag de haven verder vol schepen. Grote zeeschepen, kustvaarders, maar ook rijnaken in lange rijen bij de steigers. Moeder Van der Sluis had een fles limonade ingepakt en tevens de zak met pelpinda's, die eigenlijk voor vanavond was bedoeld.

Een uurtje later lag Joke in het warme zand op een handdoek en staarde ze naar de blauwe lucht boven haar. Flip zwom om het hardst met zijn vader, ze zwommen naar een boei waaraan een groot zeeschip lag afgemeerd. Flip was er het eerst.

Joke had ook even gezwommen, maar vond het water aan de koude kant. Over twee weken zouden ze voor hun gebruikelijke jaarlijkse vakantie naar oom Aad en tante Lijnie in Numansdorp gaan, maar deze keer had ze er niet veel zin in, omdat ze Peter dan de hele tijd niet zou zien.

Ze had hem dat nog niet eens verteld, maar dat kwam nog wel. Eigenlijk was het verbazingwekkend wat hen beiden was overkomen, mijmerde ze in het zonnetje. Ze hadden elkaar gezien en het was zo ongeveer liefde op het eerste gezicht geweest, bij hem zeker en bij haar misschien ook wel. Kon dat wel goed gaan? Ja, wist ze. Net als hij had ze het stellige gevoel dat het goed zat en dat ze de problemen die ongetwijfeld op hun weg zouden komen voor ze echt samen konden zijn, heus wel zouden weten te overwinnen.

Hij zou nu wel thuis zijn, besefte ze. Zou het hem lukken om Betsie aan de praat te krijgen? En ging hij nog in de middag naar Rosie toe of pas vanavond? Ze wilde dat ze bij hem was, maar het was goed dat ze elkaar morgenavond zouden treffen. En hij had gelijk, het zou zo snel mogelijk uit moeten zijn met dat stiekeme gedoe. Het leidde tot liegen en dat was verkeerd. Ma zei vroeger al dat de ene leugen altijd weer een andere uitlokte en nu pas besefte Joke hoe waar dat was.

Poeh, wat was het warm. Ze stond op en slenterde wat langs de waterkant. Het was druk op het strandje, het was immers een gratis vermaak dat ook mensen die het arm hadden zich konden permitteren. Overal speelden kinderen. Joke liep het water in om weer een stukje te zwemmen, zodat ze wat af zou koelen. Lies spetterde onbekommerd achter haar aan. Joke moest lachen. Zij wel!

Water was heerlijk, dan vergat je je zorgen. Nu ja, zorgen had ze niet, niet echt, natuurlijk.

De middag was zodoende sneller voorbijgegaan dan ze had gedacht. Weer thuis gingen ze allemaal om beurten onder de douche om het zand en het rivierwater van zich af te spoelen. Het was toch zaterdag, de dag dat ze vroeger in de teil gingen en nu dus onder de douche, omdat ze die hadden. Ondertussen bakte ma pannenkoeken. Flip genoot er nu al van omdat hij er eentje had weggekaapt. De volgende morgen voelde ze zich toch weer onrustig en in de kerk had ze moeite om haar aandacht bij de preek te houden. Rosie wist het nu, peinsde ze. Zijn ouders ook. Wat zouden ze erover zeggen? Nee, over haar zou hij het pas over een paar weken of zo hebben. Als ze in de toekomst weer bij hem thuis kwam, zou er heel anders naar haar gekeken worden dan de vorige keer.

'Is er iets?' vroeg haar moeder toen ze weer thuis waren na de dienst en koffie dronken.

'Ik heb hoofdpijn gekregen. Misschien wel van de warmte.'

'Ze zeggen dat het weer vanavond omslaat en dat het vannacht gaat onweren. Neem een aspirine in en ga een poosje liggen,' raadde haar moeder haar aan.

'Ja, ma, dat doe ik.'

Ze had niet echt hoofdpijn, maar wel een zwaar hoofd. Het werd middag, nu zat hij ongetwijfeld op de fiets om terug te komen, waarschijnlijk opgelucht omdat het moeilijke bezoek achter de rug was.

Ze aten op zondag meestal om een uur of twee in de middag warm, omdat ze pas laat na de kerkdienst koffie dronken. Wie 's avonds wilde, kon nog een boterham pakken, maar over het algemeen werd er op zondag maar twee keer gegeten.

'Ben je nog niet opgeknapt?' vroeg haar moeder bezorgd.

'Wel een beetje. Ik heb nu eenmaal snel last van de warmte, dat is altijd zo geweest. Ik ga nog even naar buiten, wat lopen, het is nu niet meer zo warm. Ik denk dat het komt van het in de zon liggen, gistermiddag.'

'Dat zou best kunnen, meisje. Je hebt zo'n bleke huid. Ben je verbrand?'

'Een klein beetje maar. Mag ik nog wat van uw eau de cologne?'

'Natuurlijk.'

Lies kwam naar haar toe. 'Zullen we gaan fietsen?'

'Ik ga rustig wat slenteren en Lies, ik wil je niet kwetsen of zo, maar je kwebbelt vaak zo druk en nu wil ik even stilte aan mijn hoofd.'

'Goed hoor,' mompelde haar zusje berustend. 'Ik ga wel op het balkon zitten lezen. Daar staat nu een lekker briesje.'

'Doe dat.'

Ze liep niet de kant van het park op. Het was pas zes uur. Ze maakte een omweg, maar was toch veel te vroeg hij het bankje. Ze ging zitten en keek naar de statig ronddrijvende zwanen. Rust en stilte, heerlijk. Er was inderdaad een wind opgestoken, die een aangename verkoeling bracht. Het was drukkend geworden en de lucht veranderde. Waarschijnlijk ging het later vanavond inderdaad onweren, en was de hitte weer voorbij. Die duurde immers nooit lang in dit land.

Wachten duurde voor het gevoel altijd lang, maar zeker deze avond was dat voor Joke het geval. Niettemin zag ze hem om kwart voor zeven aankomen op de fiets, hij trapte alsof zijn leven ervan afhing. Toen hij dichterbij kwam, zag ze de spanning op zijn gezicht. Ze wist meteen dat het weekeinde hem erg zwaar gevallen was. Even voelde ze zich schuldig ten opzichte van het andere meisje, zijn familie, haar eigen familie misschien ook wel. Hij zette zijn fiets tegen de achterkant van het bankje en even later zat hij naast haar. Hij zei niets. Zijn gezicht stond strak. Na een poosje zwijgend te hebben afgewacht, pakte ze zijn hand. 'Ik begrijp al dat het niet meegevallen is.'

Eindelijk haalde Peter diep adem en hij keek haar aan. 'Het is veel erger dan ik allemaal had verwacht.'

Nu zat ze zelf ook met haar mond vol tanden. 'Wil je misschien op je besluit terug komen?

'Het ging niet eens om mij.'

'O, maar....' Ze begreep er niets van en besloot dat ze maar één ding kon doen: afwachten tot hij in staat was haar te vertellen welke schokkende dingen er waren gebeurd in het huis van de familie Boerlage.

'Ik zal met het minst erge beginnen,' zei hij moeizaam,

zeker vijf minuten later. 'Zodra ik thuiskwam, hing er een begrafenisstemming in huis. Dus vroeg ik vanzelfsprekend meteen wat er aan de hand was, maar pa en Jos waren nog aan het werk, de jongere kinderen zaten in de keuken. Moeder zei dus dat ik het vanavond wel zou horen. Ik wilde weten waar Betsie was en kreeg te horen dat ze ziek was en in bed lag, en dat ik haar niet mocht storen. Ze zou wel slapen. Dus besloot ik dat ik maar het beste meteen naar Rosie kon gaan.'

Hij wachtte even. Zijn ogen stonden verdrietig. Joke begon zich wel heel ongemakkelijk te voelen.

'Ze was helemaal overdonderd en van streek toen ik haar vertelde dat ik de verloving moest verbreken omdat ik niet langer zag hoe zij en ik een goede toekomst samen konden delen. Natuurlijk vroeg ze of ik iemand anders had leren kennen en omdat er een einde moet komen aan stiekem gedoe en halfslachtige waarheid, heb ik naar eer en geweten gezegd dat dit inderdaad het geval was. Dat wat ik voor haar voelde eigenlijk alleen maar vriendschap was. Dat is een mooi gevoel, zei ik, maar voor mij niet langer voldoende om er mijn hele leven lang genoegen mee te nemen. Dat begreep ze, maar ze houdt wel van mij, ondanks dat onze verloving voornamelijk tot stand kwam na uitdrukkelijk aandringen van onze wederzijdse ouders. Ze moest huilen. Haar ouders stelde ze meteen op de hoogte en die twee keken me beiden geschokt aan. Hun blikken deden me waarschijnlijk evenveel pijn als die van Rosie zelf. Ik stond te hakkelen als de eerste de beste schooljongen, dat ik hoopte dat Rosie snel iemand anders zou vinden en ook dat ik hoopte dat hun vriendschap met mijn familie hierdoor geen deuken zou oplopen. Ik heb haar mijn ring teruggegeven en toen ben ik weggegaan. Ik wilde niet thuis tussen zoveel mensen zitten, dat is dan weer het nadeel van een groot gezin. Thuis zette ik dus mijn fiets in de schuur en ging ik wandelen langs de Devel. Wandelen geeft me altijd rust. Een eindje verderop trof ik

Betsie aan. Ze lag helemaal niet in bed. Haar schouders schokten. Ik ging naast haar zitten en toen kwam het hele verhaal eruit. Onze ouders hebben ontdekt wat er in die brief stond. Dat ze omgang had met een jongen die katholiek was. Vanzelfsprekend hield mijn vader een donderpreek waar ze helemaal van overstuur raakte. Alle andere kinderen zaten erbij, Betsie voelde zich diep vernederd. Ik zei dus maar dat ik jou geregeld zag in de stad en dat ik al begrepen had dat jij het ook wist. Ze keek me wel even vreemd aan, maar toen begon ze opnieuw te huilen. Het was nog veel erger, bekende ze toen huilend. Ze is zwanger.'

'Nee!' Joke keek hem diep geschokt aan.

'Ja. Ze weet zelf ook niet hoe het nu verder moet. Het kind weg laten halen is vanzelfsprekend geen optie. Bovendien zou moeder bang zijn dat ze doodging vanwege het geknoei in haar buik, en bij een dokter kun je vanzelfsprekend met zoiets niet terecht. Ze zei dat ze elke avond was gaan rennen, springen, trappen lopen, in de hoop dat ze het dan kwijt zou raken. Eergisteren heeft ze die Arie over haar vermoeden verteld. Hij antwoordde dat hij er geen verantwoordelijkheid voor wilde dragen, dat zij maar moest zien hoe ze het oploste. Het beste leek het hem, dat ze naar een kliniek voor meisjes in dezelfde omstandigheden zou gaan, het kind zou krijgen om het vervolgens af te staan en dan weer gewoon thuis te komen alsof er niets gebeurd was. Dan zou hij haar ook wel weer willen zien. Stel je voor!'

Ze legde opnieuw haar hand op de zijne, nu sussend, want ze zag de machteloze woede op zijn gezicht. 'Ze is erg dom geweest en nu moet ze er een vreselijke tol voor betalen. Het kind in de toekomst ook, Peter.'

'Ja, dat ook. Wel, ik heb haar gezegd dat we naar huis gingen, heb alle jongere kinderen naar buiten gestuurd en Jos en pa naar binnen gehaald. Het was toen bijna etenstijd. Het was raar, ik leek ineens wel het hoofd van de familie. Dus ik vertelde mijn ouders, Betsie en Jos dat ik juist bij Rosie was geweest om haar te vertellen dat ik een andere weg in mijn leven zou inslaan en dat ik niet met haar zou trouwen. Mijn vader, al getergd door wat hij twee dagen eerder had gehoord over Betsie, sloeg zo hard met zijn vuist op tafel dat mijn moeder ervan schrok. Je trouwt met haar, dat beveel ik je, riep hij. Ik heb hem rustig aangekeken en gezegd: nee, pa. Het huwelijk is heilig en duurt een mensenleven lang. Dat mag ik Rosie niet aandoen als er van mijn kant geen liefde is, maar mezelf ook niet. Moe wilde van alles vragen, maar dat heb ik voorlopig afgekapt met: er is nog meer. Jullie weten inmiddels dat Betsie omgang heeft gehad met Arie, die bij de buren werkt. Ja, jullie zijn allebei volkomen ontaard, brulde mijn vader, niet langer in staat jezelf te beheersen. Hij weet altijd zo goed hoe het moet, hij wist ons altijd zo duidelijk te vertellen hoe de weg van de Here bewandeld moest worden, maar nu was hij de grip op ons kwijt en ik moest hem de genadeslag toebrengen.

Een paar dagen geleden heeft Betsie ontdekt dat ze waarschijnlijk zwanger is, vertelde ik mijn ouders toen. Op dat moment waren er niet eens boze woorden meer. Het stilzwijgen, de verslagenheid, Joke, dat was allemaal nog veel erger. Betsie begon met lange uithalen te snikken en wilde naar boven rennen, maar ik hield haar tegen. Ik zou er op dat moment niet voor in hebben durven staan wat mijn vader ging doen.

De omgang met Arie is voorbij en ik zal helpen om een goede oplossing voor Betsie te bedenken, heb ik mijn ouders beloofd. Ik voelde me schuldig, ook al vanwege Rosie. Het was de ergste avond van mijn leven, wil je dat geloven? Ik durfde niet weg te gaan. We hebben met elkaar in diep stilzwijgen gegeten. De kinderen waren allemaal van slag. Ik ben 's avonds met Jos nog naar Anton gegaan.

Nu moet het allemaal bezinken, maar voor ik wegging,

heb ik Betsie beloofd dat ik na zou denken over een mogelijke oplossing.'

'Eerst moet ze naar de dokter om zekerheid te krijgen.'

'Ja, ook dat, maar moeder schijnt niet erg te vertrouwen op zijn beroepsgeheim. Na ondervraging door mijn ouders denken ze dat Betsie ongeveer twee maanden onderweg is. Ze moet natuurlijk uit Zwijndrecht weg voor het te zien is en de mensen gaan praten.' Hij zuchtte. 'Ik ben er helemaal kapot van, Joke. En tegelijkertijd, hoe dom mijn zusje ook is geweest, kan ik haar ergens nog begrijpen ook. Vorige week met het dansen, met jou in mijn armen, voelde ik ook verlangens die er niet mogen zijn.'

Ze begreep maar al te goed wat hij bedoelde. 'Ik weet het. Maar Peter, onthoud een ding. Je staat er niet langer alleen voor. We kunnen elkaar steunen.'

Eindelijk nam hij haar in zijn armen. Hij zoende haar niet, ze legde haar hoofd op zijn schouder. Zo zaten ze een hele tijd stil dicht bij elkaar.

HOOFDSTUK 9

Het onrustige gevoel dat haar al dagen plaagde, wilde maar niet weggaan. Op het atelier kreeg ze tot drie keer toe een standje omdat ze iets vergat en blozend nam ze zich voor haar hoofd beter bij het werk te houden, waarna dat toch niet erg wilde lukken. Lies plaagde haar dat ze zo vergeetachtig was. Joke voelde zich moe en aangeslagen, maar als ze 's avonds in bed lag om te gaan slapen, begon het in haar hoofd te malen en lag ze nog uren wakker.

'Is er iets?' vroeg haar moeder dan ook, kort nadat ze op woensdag aangeslagen thuis was gekomen uit haar werk. Joke aarzelde of ze haar familie nu iets vertellen moest of niet.

'Ze is vast en zeker verliefd,' plaagde haar zusje en Flip schoot daverend in de lach toen Joke prompt een rood hoofd kreeg.

'Nu, als dat het geval is, gaat je pad niet over rozen,' bromde haar moeder goedmoedig.

Joke stond haastig op om naar de meisjesslaapkamer te vluchten, maar bedacht zich toen. 'Ik maak me zorgen over Betsie.'

'Ach, je nieuwbakken vriendin die wij op de verjaardag van opa hebben gezien, en door wie je Peter hebt ontmoet,' glimlachte haar moeder, terwijl ze opkeek van haar breiwerk. Ze had een nieuwe trui voor Flip op de pennen staan, die ze breide van blauwe uitgetrokken wol van een vest van Lies, waar ze wat witte wol bij had gekocht om genoeg te hebben. 'Leuk meisje. Wat is er met haar?' Maar ze wachtte niet op antwoord en babbelde verder. 'Gelukkig gaat het met opa en oma weer goed. Ik heb me afgelopen voorjaar flink zorgen om mijn ouders gemaakt,' verzuchtte ma Van der Sluis. 'Nu opa niet meer hoeft te werken, zit hij bijna de hele dag in zijn stoel en daar is hij erg tevreden mee. Gewoonlijk kijkt hij urenlang zomaar een beetje voor zich uit. Ze krijgen de krant van tante Koosje, als ze die daar zelf uit hebben, zodat ze die kunnen lezen, maar opa leest niet graag. Meestal leest oma de belangrijkste stukken voor. Zo nu en dan maakt hij een ommetje en gaat hij met andere oude mannen zitten praten op de bank die kruidenier Leerdam voor zijn zaak heeft gezet, nu het zomer is.'

'Dan praten ze alsmaar over vroeger,' grinnikte Lies. 'Het ene verhaal is nog sterker dan het andere.'

'Ze hebben daar plezier in en het breekt de dag. Beter op een bank in de straat zitten, dan halve dagen in het café hangen. Er zijn genoeg kerels die dat doen. Laat opa nog maar een paar jaar van zijn welverdiende rust genieten, en oma let nog beter op haar eten dan ze altijd al deed.'

'Ik vind het eng, al die blauwe prikplekken op haar benen,' mompelde Lies, die net als Joke vroeger geschrokken was van hoe de bovenbenen van hun grootmoeder eruitzagen. 'Insulineprikken zijn gemene prikken en oma zegt nooit au!' Er klonk bewondering door in de stem van Flip, die helemaal niets van injectienaalden moest hebben.

Hun vader kwam boven met de krant en de post in de hand. 'Er zit een brief voor jou bij zonder afzender en zonder postzegel,' zei hij met opgetrokken wenkbrauwen tegen Joke. 'Hier. Van wie is die?'

Ze keken haar allemaal aan. Ze had vanzelfsprekend wel een idee en haar hart begon te bonzen. Ze maakte de brief open, zag meteen zijn naam staan en stopte de brief daarom weer in de envelop terug. 'De brief is van Peter. Ik zal hem straks wel lezen.'

'Ha, dan ben je zeker op hem verliefd? Jullie hebben steeds veel te smoezen,' grijnsde Lies zonder de minste verlegenheid.

'Nee toch! Hij is verloofd,' schrok haar moeder. 'Ben je daarom zo verdrietig?'

'Wat wil hij van je?' vroeg haar vader meer praktisch.

Ze schoof het bord van zich af. 'Ik heb geen honger meer.'

'Eerst je bord leegeten en dan lees je de brief maar op je kamer. Maar denk erom dat dit alleen maar narigheid kan brengen, Joke.'

'U weet niet eens wat hij schrijft. Waarschijnlijk gaat het alleen over zijn werk of zijn familie.'

'Het is een aardige man. De avond dat hij hier op de koffie was en met je vader heeft geschaakt, vond ik hem plezierig in de omgang. Ben je echt verliefd op hem?' Nu was ook haar moeder duidelijk in de ban van de nieuwsgierigheid.

'Ik eet mijn bord leeg,' mompelde ze blozend.

Gelukkig werden er geen verdere vragen gesteld. Nadat ze tegen heug en meug alles had opgegeten, ging ze naar de kamer om eindelijk de brief te lezen.

Lieve Joke, stond erboven. *Ik maak me zo'n zorgen over thuis, dat ik heb besloten om in het weekeinde toch weer naar huis te gaan. Ik ga zaterdag om een uur of twee weg, op de fiets. Zou jij mee willen gaan, om dan bij je grootouders op bezoek te gaan? Dan kunnen we onderweg met elkaar praten. Misschien ga ik zaterdagavond meteen weer terug, maar misschien ook niet. Dat hangt ervan af hoe het thuis is. Maar zelfs dan hebben we elkaar toch weer kunnen zien en spreken. Peter.*

Hij was onrustig, net als zij, begreep ze. Het was prettig dat hij zich zorgen maakte om Betsie en misschien ook wel om Rosie. Voor Betsie moest toch een oplossing worden bedacht.

Ze ging terug naar de kamer om koffie te drinken.

'Stond er nog wat bijzonders in de brief?' vroeg haar moeder, ongetwijfeld barstend van nieuwsgierigheid.

'Peter heeft afgelopen weekeinde zijn verloving verbroken, en zijn zus Betsie heeft problemen, maar dat wist ik al. Hij gaat zaterdag naar Zwijndrecht en vraagt of ik nog van plan was opa en oma op te gaan zoeken. Dan kunnen we samen fietsen.'

'Aha, hij is dus ook verliefd op jou,' begreep de bijdehan-

te Lies meteen. 'Anders zou hij zijn verloofde niet aan de dijk zetten om gezellig met jou een stuk te gaan fietsen.'
Joke bloosde en haar moeder liet het breiwerk in haar schoot rusten. Ze keek haar oudste dochter vragend aan. 'Ik voelde me meteen tot hem aangetrokken, maar heb daar niets van laten blijken, maar... Nu ja, we zijn immers met elkaar wezen dansen, en toen voelde ik me zeker tot hem aangetrokken.'
'Kijk maar liever uit! Hij zou gaan trouwen en waarschijnlijk krijgt hij er spijt van, zijn verloofde zo impulsief te hebben bedankt,' meende haar vader terwijl hij de avondkrant even liet zakken om Joke met een waarschuwende blik aan te kijken.
'Ik ga met hem mee.' Ze rechtte haar rug en stelde verbaasd vast dat het enorm opluchtte, dat ze nu ze niet langer stiekem hoefde te doen over wat er tussen Peter en haar aan het opbloeien was. 'Ik verwacht niets, hoop niets, maar wil hem wel graag beter leren kennen. Hij is niet langer verloofd, dus ik doe er niets verkeerds mee als ik hem zie.'
'Dat deed je dus wel toen je met hem ging dansen.'
'Nee ma, toen voelde hij zich eenzaam in de stad en zocht hij wat afleiding en vertier, net als de week daarvoor toen hij bij ons thuis was. Dat er wat tussen ons groeit, heeft hij evenmin gezocht als ik.'
'Dus het is wel wederzijds?'
'Lieve help, we hebben elkaar een paar keer gezien en gesproken en ja, we voelen ons duidelijk tot elkaar aangetrokken, maar dat kan dus nog alle kanten op gaan. Bovendien is Betsie mijn vriendin, zoals jullie weten. Als hij zich zorgen over haar maakt, is het toch niet zo vreemd dat hij er met mij over wil praten?'
'Nu ja, zodra het hart in het geding is, gaan mensen domme dingen doen,' bromde haar vader. Hij stak een sigaar op en pakte zijn krant opnieuw op.
Ze dronk zwijgend haar koffiekopje leeg en keek tersluiks

naar haar ouders. Pa las de krant en ma breide of deed soms verstelwerk. Dat waren de vaste bezigheden voor de avonduren. Ze luisterden even naar het nieuws op de radio, maar niet naar de hoorspelen, waarover Joke in het atelier soms hoorde vertellen en waar andere mensen soms veel om moesten lachen. Daar luisterden zij nooit naar, dat waren zaken voor de rooien, zoals haar vader zei: dat waren mensen die nergens in geloofden en een goddeloos leven leidden. Een radio verleidde mensen dan tot slechte dingen, was zijn mening, en het allernieuwste, de televisie, was nog vele malen erger! Duivelskastjes waren dat!

Goed, dat de kinderen uit de straat bij de enkeling die zo'n apparaat in huis had over de vloer mochten komen op woensdagmiddag om een uurtje naar een kinderprogramma te kijken, dat kon er dan nog net mee door, maar eigenlijk was ook dat al verdacht lichtzinnig vermaak en daardoor slecht voor de mens.

Zo snel ze kon, trok Joke zich weer in de slaapkamer terug, kroop bijtijds in bed en die nacht sliep ze eindelijk weer eens als een roos.

Het was bewolkt, maar wel droog, die zaterdagmiddag. Voor alle zekerheid had Joke een regencape meegenomen in haar fietstas. Een paar oude Rotterdamse kranten voor opa, een half pondje koffie en een onsje thee voor oma, een vermanende opmerking van haar vader om zich niet lichtzinnig te gedragen ondanks dat hij haar zo keurig had opgevoed en een brutale opmerking van Lies over handen aan het stuur houden, dat alles kreeg ze mee toen Peter die zaterdagmiddag om kwart over twee aanbelde.

Vanzelfsprekend beende haar vader vlak achter Joke aan de trap af, om hem het een en ander toe te voegen. Ze hield er haar hart al voor vast. Ze haalde haar fiets weer uit de kelder en hoorde Peter net zeggen: 'Maakt u zich maar niet ongerust, mijnheer Van der Sluis. Na het avondeten fietsen we weer samen terug, mits de toestand bij mij thuis dat toelaat. Ik zal wel op uw dochter passen, maar Joke is niet het meisje dat in zeven sloten tegelijk loopt.' Wel, daar kon pa het mee doen, dacht ze opgelucht. Ze stapte op en ook Peter had haast om weg te komen.

'Ze weten van mijn brief,' stelde hij vast toen ze nog maar goed en wel de straat uit waren.

'Zeker. Ten eerste zagen ze die toen mijn vader de brievenbus had geleegd, en ten tweede wil ik niet stiekem gaan doen over jou en mij.'

'Wat heb je over ons gezegd?'

'Dat we elkaar aardig vinden en dat jij je verloving hebt verbroken. Dat lokte natuurlijk vragen uit, maar ik heb me op de vlakte gehouden. Ik wil er niet over liegen, Peter. Wij zijn het erover eens dat we elkaar beter willen leren kennen en waarom zouden mijn ouders dat niet mogen weten?'

Hij knikte. 'Ik heb je gemist, meisje.'

Ze keek hem aan. 'Ik jou ook.'

'We spreken het zo af, Joke. Ik breng jou bij je grootouders en ga daarna eerst naar Anton om te vragen wat er deze week allemaal is gebeurd. Daarna ga ik naar huis. Ik wil met Betsie praten, dat vooral. Ze was vorige week zo verschrikkelijk overstuur, en de houding van mijn ouders zal er niet zo snel milder op geworden zijn. Dan kom ik jou net na het avondeten weer ophalen, zeg zo rond zeven uur. Als ik besluit vannacht thuis te blijven, breng ik je weg tot Smitshoek en ga daarna weer terug. Is dat niet nodig, dan lever ik je keurig thuis af voor ik naar mijn kosthuis ga. Vind je dat goed?'

Ze knikte. 'Doe Betsie de groeten van mij en zeg haar dat ik wilde dat ik iets kon doen om haar te helpen. Zeg ook maar dat ik haar niet zonder meer veroordeel, en dat ik het altijd zo erg vind dat jongens in dergelijke gevallen zomaar wegkomen, zodat het meisje in haar eentje met alle ellende opgescheept blijft, terwijl ze toch beiden…

Nu ja, zeg maar dat ik met haar meeleef en dat ik deze week een brief zal schijven.'
'Bedenk dan wel dat mijn vader die eerst zal lezen voor zij hem wel of niet krijgt.'
Ze keek hem geschokt aan. 'Meen je dat?'
'Hij zal geen enkel risico willen nemen, schat ik in.'
Toen ze dat hadden uitgesproken, kregen ze weer oog voor de omgeving. Het was prettig om samen met hem te fietsen, dacht Joke. Het was akelig dat de reden waarom ze onderweg waren, zo naar was, maar ze stelde verwonderd vast dat ze niet alleen goed samen konden praten over de dingen die hen bezighielden, maar dat ze ook zo nu en dan samen konden zwijgen en dat dit aangename stiltes waren. Ze reden de straat van haar grootouders in voor ze het wist. Moe was ze helemaal niet en gelukkig was het de hele tijd droog gebleven.
'Wel meisje. Tot straks dan maar.'
'Ja, en sterkte jij.'
Hij knikte. Zijn gezicht had een ernstige uitdrukking gekregen. 'Ik kan alleen maar hopen dat het meevalt.'
Opa en oma waren blij verrast met haar onverwachte bezoek en Joke besefte met een licht schuldgevoel dat beide oude mensen eigenlijk maar een eenzaam leven leidden.
Ze hadden zeker geen gemakkelijk leven achter de rug, peinsde ze terwijl oma druk in de weer was om haar van een kopje verse thee te voorzien. Ze waren getrouwd aan het begin van de eeuw, en in de jaren daarna, vol armoede, leden ze veel verdriet. De broer van haar moeder, die in Numansdorp woonde nadat hij was getrouwd met een boerendochter, was in de ogen van de familie erg goed terechtgekomen. Over haar moeder hadden opa en oma evenmin zorgen. Maar oma had meer kinderen gehad en die weer verloren. Dat moest heel erg zijn geweest. Haar moeder had weleens opgemerkt dat oma en opa zoveel verdriet nooit meer helemaal te boven waren gekomen.

Ze zagen een van hun kinderen helemaal niet meer omdat die in Canada woonde, en de twee anderen niet zo vaak, vanwege de afstand en de dure reiskosten.

Toen Joke niet veel later aan haar thee nipte, keek oma haar liefdevol aan. 'Kindje, wat fijn dat je er bent!' Haar opa en oma zagen er goed uit, stelde ze vast. Het was duidelijk dat het opa goed deed dat hij zich niet langer hoefde af te beulen met werk dat eigenlijk al jaren geleden veel te zwaar voor hem geworden was. Oma was blij met de meegebrachte koffie en thee, en Joke hapte gretig in het plakje ontbijtkoek, dat met roomboter was besmeerd.

Ze babbelde een poosje met haar oma over de kleine nieuwtjes uit de buurt. De op handen zijnde vakantie in Numansdorp, ze zouden volgende week vertrekken, maakte dat haar ouders de komende tijd niet naar Zwijndrecht kwamen. Ze verzweeg maar dat ze er weinig zin in had, nu ze Peter kende en zijn familie in de problemen zat. Ze vertelde over het atelier, waar ze het momenteel erg druk hadden vanwege een bestelling voor een bruiloft. Niet alleen de bruidsjapon was bij hen besteld, maar ook de kleding van de bruidsmoeder en van twee zussen van de bruid, plus een paar bruidskinderen. 'Dat moet wel een rijke bruiloft worden,' dacht oma dan ook hoofdschuddend. 'Het geld is maar oneerlijk verdeeld in de wereld.'

Zo ging de tijd toch best plezierig voorbij. Joke vroeg of er nog iets was dat ze voor oma kon doen, zwaarder huishoudelijk werk misschien, dat oma moeilijk begon te vallen? Niet veel later liet ze haar handen wapperen in de ruimte naast de hal, die een verbinding was tussen de slaapkamer van haar grootouders en de woonkamer, een ruimte waarin vroeger twee bedsteden waren geweest. Die waren er al een paar jaar geleden door haar vader uit gesloopt, toen haar grootouders kort na de oorlog in een ledikant waren gaan slapen. Nu hingen daar in die ruimte de kleren, waren er planken met een voorraad levensmiddelen en stonden er de weckflessen. Toen ze klaar was met opruimen en schoonmaken, was het al bijna tijd voor het avondbrood.

'Blijf je eten?' vroeg opa grinnikend.

Ze knikte. 'Als jullie genoeg brood hebben, dan graag. Daarna fiets ik met de broer van Betsie terug naar de stad. Hij woont niet ver bij ons vandaan.'

'O, dat had je niet eerder verteld,' wilde oma meteen het naadje van de kous weten.

Toen Peter om kwart voor zeven achterom de keuken binnenkwam, moest het aan Jokes gezicht te zien zijn hoe blij ze was hem te zien.

HOOFDSTUK 10

Ze haastte zich naar hem toe en ze troffen elkaar in de keuken. 'Is het meegevallen?' vroeg ze bijna ademloos. Hij schudde een tikje moedeloos het hoofd. 'Het was ontzettend zwaar.' Even sloeg hij zijn arm om haar heen en drukte haar tegen zich aan. Ze liet het gebeuren, sloeg haar armen troostend om zijn middel, maar binnen een paar seconden liet hij haar weer los. 'We praten straks wel. Ik ga samen met jou terug naar de stad. Ik wilde zeggen: naar huis, maar op dit moment weet ik niet wat ik thuis mag noemen. Kom mee.'

'Ik heb opa en oma al verteld dat je zou komen en ze willen graag dat je een kop koffie met hen drinkt voor wij vertrekken.'

Hij knikte. 'Dan doen we dat.' Hij hield haar opnieuw even heel dicht tegen zich aan, daaraan merkte ze hoe de voorbije uren hem hadden aangegrepen. Toen was hij zichzelf weer meester.

Binnen gaf hij beide oude mensen een hand. 'Peter is een van de broers van Betsie. Ik heb al verteld dat ze er maar liefst acht heeft.'

Oma keek hem vriendelijk aan. 'We kennen Betsie en ook je broer Jos is hier wel eens geweest. Joke vertelde dat je in de stad werkt en vlak bij mijn dochter in de buurt woont.'

Hij glimlachte. Joke haastte zich om voor de koffie te zorgen. Ze nam even later de houten koffiemolen tussen haar knieën om verse bonen te malen. Opa kauwde op zijn onafscheidelijke pruimtabak. Zo nu en dan stopte hij de prop tabak met zijn tong in zijn wang en dan kon hij praten. Zijn tanden waren helemaal bruin geworden van dat jarenlange tabakspruimen. Jonge mannen pruimden nauwelijks nog, maar veel oude mannen konden de gewoonte maar niet afleren, al waren er hier en daar geluiden te horen dat het niet zo gezond scheen te zijn.

Een halfuur later namen ze afscheid. Oma was bijna tot tranen toe geroerd. 'Ik vond het zo fijn je weer te zien, lieve kind. Als het kan, moest je dit vaker doen.'

'Ik zal het onthouden, oma,' antwoordde ze een tikje schuldbewust, want het feit dat ze dan een poosje met Peter alleen kon zijn had voor haar de doorslag gegeven. De gedachte dat de twee oude mensen zich toch wel eenzaam moesten voelen nu ze hun kinderen niet vaak meer zagen, daar had ze eigenlijk nooit lang bij stilgestaan. Dat was pas tot haar doorgedrongen toen ze dit voorjaar een poosje voor die twee had moeten zorgen.

Ze fietsten de straat uit. Nog voor ze de bocht om waren, zei Peter: 'Ik heb met Betsie afgesproken op een punt waar we vaak speelden, vroeger. Ze wil je zo graag even zien. Zou het niet te laat worden, denk je?'

'Pa en ma weten dat ik met jou mee ben. Hoe is ze eraan toe?'

'Niet best, en dat is zacht uitgedrukt. Ze is eerlijk gezegd de wanhoop nabij. Ze heeft alle dagen gebeden dat ze bloed zou gaan verliezen, maar dat is niet gebeurd. De dokter heeft haar zwangerschap inmiddels bevestigd. Ze moet zo snel mogelijk het huis uit, heeft mijn vader te kennen gegeven. Hij wil de schande niet dragen dat zijn dochter een onecht kind moet krijgen onder zijn dak. Maar ze heeft er geen idee van waar ze naartoe moet gaan. Natuurlijk hebben we veel ooms en tantes. Mijn ouders komen beiden eveneens uit grote gezinnen, maar die mogen van pa nergens van weten. Betsie is overstuur, ze slaapt nauwelijks nog en huilt veel. Thuis moet ze zich afbeulen. Mijn ouders doen lelijk tegen haar, al staat het me tegen dat ik dat moet zeggen. Het is een vreselijke toestand en ze ziet geen uitweg meer. Ik maak me zorgen om haar, Joke.'

'Dat begrijp ik. Waar moeten we heen?'

Hij knikte naar een landweggetje dat hij in wilde slaan. 'Wat vind je er eigenlijk zelf van, Peter?' vroeg ze toen ze langs een veld met bijna rijpe sperzieboontjes fietsten. Binnenkort konden scholieren daar weer een begerenswaardig zakcentje gaan verdienen, zag ze. Toen ze een jaar of twaalf, veertien was, had ze in de zomervakantie meermalen bij haar grootouders gelogeerd om datzelfde te doen. Ze had er destijds een nieuwe schooltas van gekocht, herinnerde ze zich nog.

Het duurde even voor hij antwoord gaf. 'Aan de ene kant begrijp ik niet hoe ze die Arie zijn gang heeft kunnen laten gaan. Er is alle drie mijn zusjes vele malen op het hart gedrukt dat ze zoiets nooit mochten toelaten. Aan de andere kant ben ik zelf een kerel en heb ik bloed in mijn aderen, geen ijswater. Ik weet dat de verleiding groot is voor een man, als hij een mooi meisje in zijn armen houdt.'

Ze bloosde dat het een aard had. 'Maar je moet toch van iemand houden?' hakkelde ze.

'Voor mannen is dat minder doorslaggevend dan voor vrouwen, weet je. In dienst waren er genoeg jonge kerels die keurig verloofd waren, maar zich in de kazerneplaats te buiten gingen aan, nu ja, pleziertjes waar we volgens onze keurige ouders niet eens weet van horen te hebben.'

Hij nam haar onderzoekend op. 'Ongemakkelijk gesprek, nietwaar?'

Ze knikte. 'Ik moet proberen Betsie te begrijpen,' reageerde ze. 'Maar inderdaad, het is zo intiem.'

'Jij en ik moeten leren vertrouwelijk te zijn met elkaar. We praten nog wel eens verder over die dingen, en we zullen er op een gegeven moment best aan wennen. Het is volgens mij een groot goed, als een man en een vrouw open met elkaar kunnen praten, ook over intieme zaken, zonder zich daarbij opgelaten te voelen. Zoiets moet echter wel groeien, besef ik. Maar onthoud te allen tijde, Joke: mij kun je vertrouwen.'

Ze keek hem aan. 'Dat weet ik,' mompelde ze, om pas daarna te ontdekken dat ze dat daadwerkelijk meende.

'Betsie zit er al.'
Even later stapten beide jonge mensen af. Nauwelijks drie tellen later hield Joke een snikkende Betsie in haar armen.
'O, wat ben ik blij je eindelijk weer eens te zien. Ik zit helemaal stuk, moet je weten.' Maar Betsie vermande zich al na een paar minuten, nam weer afstand en keek Joke toen vragend aan. 'Jij zult me ook wel met de vinger nawijzen. Dat zal de hele wereld binnenkort wel doen.'
'Peter heeft me uitgelegd dat je er spijt van hebt, maar dat het kan gebeuren, dat een meisje een jongeman niet teleur wil stellen als hij zijn gezonde verstand verliest.'
'Ik was zo verliefd en dan is domme dingen doen ineens zo gemakkelijk. Mijn vader herhaalt aldoor dat de duivel mij verleid moet hebben, maar ik heb op dit moment niet veel aan Bijbelse vermaningen. Ik moet nu op de een of andere manier ergens heen zien te komen om stiekem mijn kind te krijgen. Ik moet het afstaan van mijn ouders, anders mag ik nooit meer thuiskomen. Ik weet echter niet of ik dat wel kan.'
'Wat niet? Je kindje afstaan of nooit meer thuis mogen komen?'
'Beide,' hakkelde Betsie, gevolgd door een nieuwe tranenstroom.
'Peter is een goeierd,' hakkelde ze toen ze minuten later haar neus gesnoten had. 'Pa wil mij naar een speciale instelling voor gevallen meisjes sturen. Als je daar terechtkomt, moet je je kind afstaan en daar kun je dan niet op terug komen. Dat durf ik niet. Het kind moet ongeveer eind januari geboren worden, maar Joke, hoe kan ik nu al zeggen dat ik het niet zelf wil houden?'
'Je moet vooral praktisch zijn,' dacht Peter. 'Je moet ergens van leven, de kost verdienen, en hoe kan dat nu als je een baby hebt die de borst moet hebben? Die alle dagen aandacht nodig heeft? Het was mooi geweest als je met het kind thuis had kunnen blijven om moe te helpen, zoals

je altijd al deed, maar daar willen onze ouders niet van horen. Dus moet je ergens anders heen, en een ongehuwde moeder vindt nu eenmaal bijna nergens werk. Bovendien spelen de belangen van het kind zelf een woordje mee. Je weet wat pa zei. Er zijn genoeg echtparen die helaas zelf geen kinderen kunnen krijgen en die dankbaar zijn, als ze een kind onder hun hoede krijgen om dat te beschouwen als van henzelf en het een goede opvoeding geven.'

'Kan ik niet ergens dienstbode worden en intern wonen?' 'Dat had gekund, maar dan zonder kind. Trouwens, de tijden veranderen. Voor de oorlog hadden bijna alle deftige families personeel. Nu is dat bijna nergens meer het geval. Men moet wel erg veel geld hebben om nog huishoudelijke hulp te kunnen betalen. En lang wachten met het zoeken naar een oplossing kan evenmin, Betsie. Je bent nu ruim twee maanden zwanger en binnenkort kunnen mensen het gaan zien. Dan moet je weg zijn, zegt pa.'

'Kon ik hem er maar toe overhalen dat ik gewoon thuis mocht blijven,' snikte Betsie weer. 'Ik heb al alle dagen gezegd, hoeveel spijt ik ervan heb dat ik me zo slecht gedragen heb. Ik heb pa al tientallen malen om vergeving gevraagd, maar hij zegt dat mijn zonden te groot zijn om nog vergeven te kunnen worden. Hij is zelfs erg boos op me geweest, toen ik hem eraan herinnerde dat Jezus zelfs toen hij al aan het kruis hing, een moordenaar zijn daden vergaf. Ben ik dan erger dan een moordenaar? Dat vroeg ik. Die mocht met Jezus naar het paradijs gaan, maar volgens pa moet ik voor eeuwig in de hel branden en kan niets daar nog verandering in brengen. Toen ik zei dat het oordeel aan God was en niet aan hem, heeft hij me geslagen.' Ze huilde opnieuw.

Joke keek hulpeloos van Betsie naar Peter.

'Ik zal erover nadenken om mijn hospita te vragen of je op het lege zolderkamertje mag komen wonen,' zei hij tegen zijn zus. 'Maar ik weet nog niet zeker of ik dat wel durf. Ik zou haar een vergoeding kunnen betalen en dan kun je haar in de huishouding helpen. Maar ik heb er geen idee van of ze dat wel goed vindt. Ze is van dezelfde kerk als wij. Ik heb er niet veel hoop op.'

'O, probeer het alsjeblieft,' smeekte Betsie, terwijl ze voor de zoveelste keer haar neus snoot.

Joke keek ontdaan naar haar. Was dit dezelfde vrolijke Betsie van nog niet eens zo lang geleden? Dit zielige hoopje mens, helemaal ten einde raad?

'Durf je dat werkelijk aan haar te vragen? Als mevrouw Naerebout er net zo over denkt als je vader, zal ze jou misschien ook niet langer in huis willen hebben.'

'Omdat ik een gevallen zuster heb?' vroeg hij peinzend.

'Soms zijn mensen erg hard in hun oordeel, Peter.'

Hij knikte. 'Het is de enig mogelijke oplossing die ik tot nog toe heb kunnen bedenken.'

'Ik weet heel misschien iets. Zoals je weet gaan wij volgende week zaterdag als alle jaren voor twee weken op vakantie bij mijn oom en tante.' Ze keek Betsie aan. 'Die wonen op een boerderij in Numansdorp, in de Hoeksche Waard. Ik zou mijn tante eens kunnen vragen, of zij iemand weet die je op zou willen vangen, in ruil voor huishoudelijke hulp. Als dat lukt, al is het maar voor een paar maanden, dan heb je meer tijd om over een echte oplossing na te denken. Maar ik kan natuurlijk niets beloven.'

'O, alsjeblieft,' smeekte Betsie. 'Alles is beter dan thuis te moeten blijven.'

'Ik zal mijn best doen. Peter?'

Hij keek haar vragend aan.

'Ik weet dat je erg spaarzaam bent omwille van het vooruit komen, zelf te kunnen trouwen en... en nog meer. Maar kun jij Betsie beloven om de onkosten te betalen voor de bevalling, als je vader dat niet wil doen? Er zijn toch mogelijkheden om meisjes als Betsie in het ziekenhuis te laten bevallen? Misschien kan dat gewoon via het ziekenfonds, maar dat weet ik natuurlijk niet uit mijn hoofd.'

Zijn ogen werden zacht. 'Zover had ik nog niet eens gedacht. Maar ja, Betsie, als je werkelijk in de problemen komt, zal ik je financieel wel bijstaan. Je moet je nu vermannen. Joke en ik moeten terug naar de stad, maar we zullen samen ons best doen om een oplossing te vinden. Tot die tijd zit er niets anders op dan je zo gedwee en stil mogelijk te gedragen, zodat pa niet opnieuw zijn woede en machteloosheid op jou botviert.'

'Hé, ik zag jullie van een afstand.' Jos kwam op een drafje aangelopen en keek Joke verwachtingsvol aan. 'Ben je weer bij je opa en oma?'

'Ik ben er een paar uur geweest, maar ga nu terug naar huis.'

'O, en jij, Peter, ik dacht dat je allang terug was naar de stad?'

'Ik heb Joke opgehaald om even met Betsie te praten en we fietsen zometeen samen terug.'

Jos keek zijn zus lelijk aan. 'Het is allemaal haar eigen schuld, daar heeft pa gelijk in. Ze moet niet zo zielig doen, ze had gewoon wijzer moeten zijn.' Hij keek weer naar Joke. 'Mag ik je adres hebben, zodat ik je eens schrijven kan?'

Ze schudde het hoofd. 'Ik vind het niet zo aardig wat je net tegen Betsie zei. Natuurlijk is het niet goed te praten wat er is gebeurd, maar nu je zus in de problemen zit, moet ze in de eerste plaats geholpen worden, in plaats van te worden overladen met verwijten en afkeuring. God is liefde, Jos, dat is mijn opvatting van wat de Bijbel ons leert. Het is mij te gemakkelijk om Betsie alleen maar af te keuren, zonder haar te helpen. Zonden kunnen vergeven worden en ik vind dat ze geholpen moet worden. Als jouw ouders dat nalaten, dan zal Peter dat hopelijk doen, en ik wil ook proberen of we ergens een oplossing kunnen vinden.'

'Lieve help, het is nog niet eens zondag en ik heb nu al een

preek te pakken!' antwoordde hij op een nare toon.
Peter greep in. 'Neem Betsie mee terug. En Joke heeft gelijk, het zou ons allemaal ten goede komen, als er wat begripvoller met de problemen om werd gegaan. Maar nu wordt het laat, al is het gelukkig lang licht in de zomer. Ik ga Joke veilig thuis afleveren.'
'Weet jij dan wel waar ze woont?'
'Sterker nog,' antwoordde Peter terwijl Joke haar fiets pakte. 'We wonen tegenwoordig vlak bij elkaar.'

'Ik zal je ontzettend missen,' zuchtte Peter toen ze bij Joke voor de deur stonden. 'Kunnen we elkaar eind van de week nog even treffen? Zeg vrijdagavond in het park, op onze eigen plek? Daarna ben je twee eindeloos lange weken weg!'
'We komen op zaterdag terug. Kom dan die zondag weer een keertje met pa schaken. Dan kunnen we bijpraten. En ik zal je schrijven. Ook over de vraag of het lukt om daarginds iets voor Betsie te vinden.'
'Geef me vrijdag het adres waar jullie logeren, dan schrijf ik jou ook.'
'Die brieven zullen opvallen, Peter.'
Hij knikte. 'Het zal tot opmerkingen leiden, zeker. Ze zullen vragen of je wat in mij ziet en daar moet je zelf maar op antwoorden. Maar als je terug bent, ga ik je vragen of we nu echt verkering hebben. Nu wil ik dat ook wel doen, maar het is mogelijk nog te vroeg.'
Ze bloosde. 'En je bedoelt: nu met Betsie, misschien wil je me niet meer?'
'Je reacties zeggen me genoeg. Je was begripvol voor mijn zusje en dat had ze nodig. Natuurlijk vind ik het vreselijk wat ze heeft gedaan, maar Joke, je las Jos prachtig de les. Dank je voor alles.'
'Doe niet zo mal.'
'Ik meen het. Ik kan je nu niet eens een zoen geven. Lies hangt uit het raam.'

Ze schoot in de lach. 'Ze is zo nieuwsgierig als de neten. We zien elkaar vrijdag op ons bankje, Peter.'
'Dan ga ik je zoenen, dus dan weet je dat vast. Ik moet er niet aan denken je zo lang niet te zien.'
'Ga jij volgend weekeinde weer naar huis?'
Hij knikte. 'Ik zal wel moeten. Mijn moeder is deze week jarig en dat viert ze zaterdag. Het schijnt dat Rosie ook komt. Het zal me het weekendje wel worden!'
'Nooit spijt gehad dat je niet langer verloofd met haar bent?'
Hij keek haar ernstig aan. 'Ik heb er grondig over nagedacht. Eigenlijk is het onbegrijpelijk dat de mens van de ene op de andere dag iemand ziet, en dan meteen weet: dat is ze. Maar het is bij mij wel zo gegaan. Nee Joke, ik heb er geen spijt van. Mijn gevoelens voor jou groeien, en vrijdag ga ik je in mijn armen houden. Als je tenminste komt. Die verkering... Ik ga je werkelijk vragen of je verkering met mij wilt.'
Ze bloosde van zijn woorden, die een hartstochtelijke ondertoon hadden gekregen, zijn intieme ontboezemingen. 'Moet je dat dan nog vragen?'
'Dan kom ik daarna toch op een andere manier bij jullie thuis,' was zijn reactie. 'Maar nu moet ik gaan. Lies begint al erg plagerig uit haar ogen te kijken. Nogmaals dank, Joke.'
'Nergens voor nodig. Tot vrijdag.'
'Ja, tot dan.'
'Wat hadden jullie allemaal te bespreken, dat het zo lang duurde?' vroeg Lies barstend van nieuwsgierigheid toen Joke nog maar net boven was gekomen.
'Straks,' wimpelde ze af. 'Dag ma.'
'Het is laat geworden,' antwoordde haar vader en hij liet zijn krant zakken.
Joke ging zitten. 'Er is iets dat ik met jullie bespreken wil.'
'Opa of oma zijn toch niet weer ziek?' Haar moeder kreeg een ongeruste blik in haar ogen.

'Nee, nee, het gaat om heel iets anders.'

'Wat moet Peter toch aldoor met je?' haakte Lies erop in.

'Ma, met opa en oma was alles best en ze waren als een kind zo blij dat ik langskwam. Ze voelen zich eenzaam, denk ik. Afijn, ik heb de bedstee goed schoongemaakt en beloofd dat ik vaker kom. Nu het zomer is, is het een fijne fietstocht.'

'Mij te ver,' rilde haar moeder. 'Als we ooit geld genoeg hebben om een solex te kopen, wordt het misschien anders.'

'U bent dan ook een stukje ouder dan ik,' suste Joke, want haar moeder droomde al een hele tijd van die solex, maar daar zou voorlopig nog geen geld voor zijn. Eerst moest uiteindelijk de stofzuiger nog bij elkaar gespaard worden, die moeder ook al zo lang wilde hebben. En de buurvrouw had een koelkast, waar moeder vol verbazing naar was wezen kijken. Nu was het in de zomer altijd een gedoe om te zorgen dat voedsel niet te snel bedierf.

Ze ging verder. 'Maar goed, daarna kwam Peter me ophalen en hij wilde dat ik Betsie nog even sprak. Ze is in de problemen gekomen, moeten jullie weten, en dat gesprek heeft me erg aangegrepen. Het hele gezin daar is er kapot van. Ze moet een kind krijgen en de vader van de baby neemt geen enkele verantwoordelijkheid op zich. Hij laat haar eenvoudig met de brokken zitten. Ik had zo'n medelijden met haar. Ze is er kapot van.'

'Het is toch haar eigen schuld. Hoe vaak hebben wij Lies en jou al niet gewaarschuwd? Nu zie je eens wat ervan komt als jonge meisjes zich lichtzinnig gaan gedragen.'

'Ja pa, dat weet ik, maar dat neemt niet weg dat het wel de meisjes zijn die met de gebakken peren achterblijven en dat de jongeman in kwestie vrijuit gaat.'

'Haar ouders moeten hem dan tot een huwelijk zien te dwingen.'

'Dat is niet eens onderwerp van gesprek geweest. Hij is katholiek. Toen hij hoorde wat de gevolgen van zijn daden waren, trok hij meteen zijn handen van Betsie af.'

'Reden te meer om goed op te passen. Wat moet je eigenlijk steeds met die Peter?'

'Ik vind hem aardig.'

'Mijn zus is verliefd!' jende Lies meteen, en Flip gleed slap van het lachen op de grond.

'Ma, ik wil graag proberen om een plekje voor Betsie te vinden. Misschien kunnen we volgende week aan tante Lijnie vragen of zij in de buurt van Numansdorp iets weet? Ik kan Betsie toch niet zomaar aan haar lot overlaten? Haar vader wil haar naar een of ander instituut sturen, want niemand mag natuurlijk weten wat er aan de hand is, maar dan moet ze het kind afstaan.'

'Dat zal ze toch wel moeten. Kan ze het zelf onderhouden dan?' was de nuchtere vraag van haar vader.

'Nee, maar ma, ik wil het toch proberen, ziet u.'

Haar moeder keek haar onderzoekend aan. 'Om haarzelf of omdat ze de zus is van Peter?'

'Beide,' bekende Joke met een blos op haar wangen.

'Verwacht er niet te veel van,' vond haar moeder nuchter. 'Het is zo langzamerhand bedtijd, Flip. Opschieten, jij. En jij, Joke, lig er maar niet wakker van, want pa heeft gelijk. Je ziet nu wat er gebeurt als een meisje niet goed oppast.'

HOOFDSTUK 11

Eerst waren ze naar Rhoon gefietst. Vandaar moesten ze met het veer overvaren naar Goidschalxoord en daarna fietsten ze langs de vervallen korenmolen, langs die vreemde kleine watertoren, waarvan vader beweerde dat die de kleinste was van het hele land. Vervolgens ging de reis verder over de dijk die dwars over het eiland in de richting van Numansdorp liep. Ze werden zo nu en dan ingehaald door de stoomtram, die over dezelfde dijk liep. Joke genoot van de tocht. Hier was het groen, ruim, de lucht leek hier blauwer dan in de stad, het rook fris naar rijp graan. Ze genoot er altijd van om hier te zijn. Weliswaar was ze als stadskind opgegroeid, maar de rust en de ruimte van het platteland hadden haar altijd aangesproken.

Maar deze keer was het toch anders. Met elke meter ging ze verder van Peter vandaan, en ze zou hem twee eindeloos lang durende weken niet kunnen zien. Vreemd, hoe je leven kon veranderen als er gevoelens van liefde in het spel waren! Soms kon ze zich daar werkelijk over verwonderen. Bovendien droeg ze dit keer een netelig probleem met zich mee. Betsie zat flink in de zorgen en ze moest zien of het mogelijk zou zijn een voor alle partijen aanvaardbare oplossing te vinden. Ze wist niet of Peter het aan zou durven de tot dusverre goede verstandhouding met zijn hospita onder druk te zetten door haar te vragen of zijn zus tijdelijk bij hen zou mogen wonen. Ze wist ook niet of Betsie onder de druk van thuis uiteindelijk toe zou geven en toch zou vertrekken naar een instelling voor meisjes die hetzelfde probleem hadden als zij, om terug te komen bij haar ouders als alles achter de rug was, zonder kind, en verder te leven alsof er niets gebeurd was. Maar er was wél wat gebeurd, en niet alleen Betsies leven was daardoor voorgoed veranderd.
'Je bent zo stil,' onderbrak Lies haar gedachten.

'Vind je?' vroeg ze schijnheilig. 'Ik genoot juist van de rust en de ruimte hier.'

'Ik zal blij zijn als we er zijn,' meldde Flip landerig. Vroeger als kind was hij bij zijn vader achterop meegereden, maar nu moest hij al jaren zelf fietsen en daar had hij altijd een hekel aan gehad. Iedereen had zijn benodigdheden in een degelijke canvas fietstas opgeborgen. Daarbovenop hadden ze allemaal hun slaapzak vastgemaakt. Ze zouden als vanouds bij oom Aad en tante Lijnie op de zolder slapen, op strozakken en in hun slaapzakken. Het meest verheugde Joke zich op de boerderijkatten en de hond van oom en tante, met de voor deze ondeugd toepasselijke naam Rakker. Ze miste dat in de stad, dieren, maar pa en ma hadden wel gelijk als ze beweerden dat je op een bovenhuis zoals zij dat hadden, geen dieren moest houden, omdat dit voor de dieren zelf niet goed was. Er was geen lift in het trappenhuis. Voor honden was het beslist niet goed om dagelijks veel trappen op en af te moeten lopen om uitgelaten te worden. Maar spijtig vond Joke het wel. Misschien, droomde ze even weg naar de mogelijk fleurige toekomst met Peter, hadden ze ooit een huis zoals hij dat wilde en konden ze wel een hond of een kat nemen. Ze had hem dat nooit gevraagd en…

'Je hoort helemaal niet wat ik zeg,' pruilde haar zus, die naast haar was komen fietsen.

'Je hebt gelijk,' kwam Joke schuldbewust weer bij de les. 'We zijn er al bijna, nog maar een paar kilometer.'

Oom en tante waren maar wat blij hen te zien. Oom Aad verheugde zich als altijd op de gratis arbeidskracht van zijn zwager. In ruil daarvoor gaf hij graag diens gezin gratis te eten en te drinken. Pa hield van het boerenwerk, dat was geen geheim voor zijn gezin. De hele dag zwaar werk verrichten in de buitenlucht, voor hem bood dat boerenwerk ontspanning. Als politieagent zag hij immers vaak nare dingen. Ze dregden geregeld half vergane lijken uit de haven op, moesten mensen arresteren als er smokkelwaar aan boord van een schip was, moesten assisteren bij ongelukken of paspoortcontroles en daar konden ook akelige situaties bij ontstaan.

Al snel werd er letterlijk over koetjes en kalfjes gesproken. Oom en tante hadden een middelgroot gemengd bedrijf, acht koeien, twee varkens, een paar kalfjes en een ren met kippen. Geen paarden meer. Oom Aad had na de ramp van 1953, die ook hier in het dorp enkele tientallen slachtoffers had gemaakt, een tractor aangeschaft om zijn land te bewerken. Werkpaarden waren de laatste jaren in rap tempo van het platteland verdwenen. De boerderij had met de ramp onder water gestaan, maar kon worden hersteld. De watersnoodramp was verschrikkelijk geweest en heel het land was het erover eens, dat zoiets nooit meer mocht gebeuren. Daarom waren er plannen gemaakt om dat in de toekomst te voorkomen, en was men begonnen met het uitvoeren van het Deltaplan.

De oudste zoon van oom en tante was nu zestien en van school. Hij zou zijn vader later opvolgen en werkte nu als een volwassen man mee in het bedrijf. Oom en tante hadden nog maar twee knechten ingehuurd, enkel voor de oogstperiodes. Veel boerenarbeiders trokken weg van het platteland nu er steeds meer machines in gebruik werden genomen om hun werk over te nemen. Oom vertelde dat de graanoogst al was begonnen. De maaimachine die hij daarbij zelf bestuurde, werd gevolgd door de mannen die de korenhalmen samen moesten binden tot schoven, en acht tot tien van deze schoven werden schuin tegen elkaar gezet om zo te kunnen drogen, voor het graan naar de schuren werd gereden om daar met een dorsmachine te worden gedorst, meestal in de wintertijd. Het nieuwste waren combines, die in Amerika veel vaker werden gebruikt dan hier, maar nu aan hun opmars door Nederland begonnen. Combines waren het allernieuwste op landbouwgebied, die maaiden en dorsten het graan in één moeite door, en dan kon daarachter de pers rijden om het stro tot pakken samen te persen. Het stro hoefde dan alleen nog maar in de boerenschuren te worden opgeslagen tot het werd gebruikt of doorverkocht.

Toen de mannen verdwenen waren, kwebbelde tante eens gezellig met haar schoonzus bij. Oom Aad was de broer van haar moeder, net als zij geboren en opgegroeid in Zwijndrecht, maar hij had de Numansdorpse boerendochter tijdens een zendingsdag ontmoet. De verkering kon doorgaan, omdat oom bereid was de boerderij voort te zetten. Tante Lijnie had immers geen broers.

De eerste jaren van hun huwelijk hadden ze als jong stel in het opgeknapte bakhuis gewoond. Nu woonden ze al jaren in het boerenhuis met hun vijf kinderen. Rakker kwam al snel op hen af stormen. 'Nog even levenslustig als altijd,' lachte Joke. 'Als ik later ben getrouwd, hoop ik ook een hond te mogen hebben.'

Al snel vonden ze de routine van eerdere jaren terug. De strozakken waren door de mannen gevuld, de slaapzakken uitgerold. Er stond een po op de zolder zodat niet iedereen heen en weer hoefde te lopen als die 's nachts hoge nood mocht hebben. De maaltijd was eenvoudig: andijviestamppot met spekjes erdoor en een eitje van eigen kippen erbij, gevolgd door gortepap voor toe. Voedzaam was zo'n maaltijd zeker, maar de mannen moesten dan ook hele dagen zwaar werk verrichten en ook tante had meer dan genoeg bezigheden naast het huishouden. 's Morgens en 's avonds molk ze de koeien. Ze zorgde voor de varkens, voor de kalfjes en de kippen, en ook de grote moestuin bood haar meer dan genoeg werk naast het gewone huishouden.

Pas twee dagen later durfde Joke te beginnen over het onderwerp waar ze steeds maar over piekerde.

Het was een snikhete maandag. Tante Lijnie had die morgen de was gedaan. Ze behoorde tot de bevoorrechte vrouwen die een wasmachine en een wringer hadden. Ze was daarbij geholpen door moeder Van der Sluis. Lies en

Flip waren verdwenen om te gaan vissen met de jongste kinderen van oom en tante, in de kreek vlak naast de oude boerderij. Er lag daar ook een roeiboot, misschien konden ze vanavond nog wel een tochtje met elkaar maken, maar aan de andere kant: het graan was rijp om te worden geoogst, dus dat betekende voor de boeren zo lang mogelijk doorwerken tot het donker werd.

Joke zat buiten in een stoel, nadat ze de aardbeienbedden van tante Lijnie nagelopen had om er de laatste vruchten af te plukken. Ze had een maaltje boontjes geplukt voor het middageten, had deze af gehaald en zelfs de aardappelen geschild. 'Jullie hulp komt in deze tijd van het jaar altijd meer dan van pas,' lachte tante opgeruimd terwijl ze een blad met glazen limonade naar buiten droeg. 'Hier, we hebben wel wat fris verdiend. Gaat het eigenlijk wel goed met je, Joke? Ik vind je veel stiller dan andere jaren.'

'Het gaat best, tante, dank u wel,' antwoordde ze aarzelend en ineens keek ze haar moeder en tante aan. 'Maar ik heb een vriendin met wie het minder goed gaat. Ik maak me zorgen over haar. Ik moet er steeds aan denken, of ik haar niet helpen kan.'

'Als je iemand helpen kunt, moet je dat nooit laten,' knikte tante vriendelijk. 'Dat is de kern van ons geloof: naastenliefde. De Here houdt ons immers voor: heb uw naaste lief als uzelf.'

'Maar soms is dat moeilijk,' bemoeide ma zich ermee. 'Het kind is dom geweest en heeft zichzelf in de problemen gebracht. Dan begrijp je het wel.'

'Ze moet een kind krijgen en de vader is niet over te halen om met haar te trouwen, zodat haar eer wordt gered?' begreep tante Lijnie dan ook meteen.

'Zelfs al zou Arie haar niet in de steek hebben gelaten en ook niet hebben gezegd dat hij er niets me te maken wil hebben, dan nog zou ze hem niet meer willen hebben,' ontplofte Joke. 'Ik betreur vooral dat ze niet eerder heeft ingezien hoe hij is.'

'Maar nu is het te laat, en het weg laten halen mag natuurlijk niet,' knikte haar moeder.

'Dat wil ze ook niet. Haar ouders vinden dat ze het kind moet afstaan en dan weer thuis moet komen alsof er niets is gebeurd. Maar dat wil ze evenmin.'

'Tja, dan wordt het moeilijk. Als een meisje zo ver in het moeras is weggezonken, kun jij haar ook niet helpen, Joke.'

'Ik weet het, tante, maar ik blijf er toch mee bezig. Natuurlijk is ze dom geweest en ze heeft er enorme spijt van, maar dat verandert niets aan de feiten: dat haar ouders haar niet willen helpen.'

'Precies.' Tante nam een slokje van de limonade die in de drinkbak van de koeien koel was gehouden.

'Alleen haar broer probeert iets te doen.' Joke kreeg prompt een kleur als vuur toen ze dat zei.

Tante schoot meteen in de lach. 'Ach, zit het zo? Dus daarom wil jij zo graag helpen. En wat denk jij eraan te kunnen bijdragen?'

'Kent u hier in de buurt niemand die haar misschien een poosje in huis zou willen nemen, in ruil voor huishoudelijk werk? Als het zover is dat het kind geboren moet worden, kan ze dat in het ziekenhuis krijgen. Peter betaalt zo nodig de kosten wel die dat met zich mee zal brengen. Daarna kan Betsie alsnog besluiten of ze het kind wil afstaan of houden en proberen ergens werk te vinden.'

'Werken en voor een baby zorgen, dat kan bijna nergens.'

'Dat weet ze. Maar ze is gewend het huishouden te doen in een groot gezin. En het belangrijkste is dat er meer tijd komt om een goede oplossing te zoeken. Nu staat er veel druk op omdat haar ouders willen dat ze het huis zo snel mogelijk verlaat, in ieder geval voor het te zien is dat ze een kind krijgt. Alles moet wat hen betreft stil gehouden worden. Niemand mag het weten.'

'Je hebt gelijk als je zegt dat er een snelle oplossing moet komen. Ik heb een nichtje gehad dat een voorkind kreeg.

Dus ik oordeel niet altijd meteen. De boer bij wie ze op de boerderij diende, kon zijn handen niet thuis houden. Haar ouders hadden begrip voor haar moeilijkheden en hebben haar thuis laten wonen tot het kind een jaar of vier oud was en ze alsnog trouwde. Misschien kan dat ook bij Betsie?'

Een diepe zucht ontsnapte Joke, voor ze moedeloos haar hoofd schudde. 'Ik geloof graag dat haar ouders niet zo hard zijn, maar ze schamen zich voor haar, zegt Peter. Ze zijn streng gelovig en in hun ogen horen zulke dingen niet voor te komen, dus Betsie moet weg. Ze is in paniek door hun liefdeloze houding en zij zijn op hun beurt tot op het bot teleurgesteld dat hun dochter zoiets is overkomen. Maar Betsie was zo naïef! Ze kwam al op haar veertiende van school om haar moeder te helpen in hun grote gezin van elf kinderen en een tuinderij.'

'Hm... heel misschien zou ik wel een tijdelijke oplossing weten.'

Joke veerde op. 'Meent u dat?'

Tante Lijnie keek onzeker. 'Ik weet het niet zeker. Ik zou het met onze dominee moeten bespreken. Zie je, even ver-derop aan een zijweg woont een boerengezin dat zwaar in de problemen zit omdat de moeder ziek is geworden en de vader... nu ja, laten we het maar noemen zoals het is, de vader is al jarenlang een drankorgel, een man die zijn stee sterk verwaarloost. De oudste zoon doet wat hij kan, maar die is pas twintig en werkt zich desondanks de rug krom. De moeder ligt sinds anderhalve week plat met een hernia, ze kan niets doen. Bovendien is er een zusje dat niet helemaal goed is, al krijgen we weinig van dat arme kind te zien. Er is vorige zondag in de kerk voor het gezin gebeden. Vandaar dat ik het weet. Ik kan eigenlijk best wel eens naar mevrouw Schilles lopen om te vragen hoe het ermee gaat.'

'Maar dat zou geweldig zijn!' Joke kreeg zowaar een paar tranen in haar ogen. Haar moeder keek haar onderzoekend aan. 'Volgens mij gaat het niet alleen om Betsie hier, maar wil je bovendien graag goede sier maken bij Peter Boerlage!'

Weer bloosde Joke dat het een aard had. 'Ma, we vinden elkaar aardig, dat zal ik zeker niet ontkennen, maar Betsie is een lieverd, echt. Ze is te goed van vertrouwen geweest en natuurlijk was dat dom, maar daarom is ze nog geen slecht mens.'

'Ze krijgt een onecht kind.'

'Inderdaad, en daar zal ze nog jarenlang voor worden nagewezen, zeker in haar eigen kerkgemeente. Maar mag ik dat ook hard vinden? Want ieder mens doet in zijn leven dingen waarvan hij achteraf zal zeggen: had ik dat maar niet gedaan.'

Tante knikte. 'Of laat dingen na, waarvan hij later denkt: dat had ik toch moeten doen. Ik zie dat je werkelijk een meisje in nood wilt helpen.'

Joke knikte heftig.

'Dat is nobel van je. Ik zal wel met vrouw Schilles gaan praten. Twee mensen in nood die elkaar mogelijk kunnen helpen, dat zou mooi zijn.'

Tante had woord gehouden. De nood bij het betreffende gezin was inmiddels zo hoog opgelopen, dat elke hulp in huis welkom scheen te zijn. Daarna waren Joke en haar moeder met tante Lijnie mee gegaan om zelf te kijken bij de familie, die op een kleine boerderij aan het einde van een doodlopende weg woonde. Een jonge kerel stond daar midden op de dag aardappelen te schillen, een zorgelijke knul eigenlijk nog. Zijn moeder lag in de bedstee plat op haar rug en nooit eerder had Joke iemand zo triest uit de ogen zien kijken, zelfs Betsie niet. Vrouw Schilles moest van de dokter zes weken volstrekt plat blijven liggen vanwege een hernia. Daarvan was nu ruim anderhalve week voorbijgegaan, en het was duidelijk te zien dat de toestand in het gezin in die tijd volkomen uit de hand gelopen was. Nu moest mevrouw Schilles nog ruim vier weken lang lijdzaam toezien en daarna zou ze zich nog lange tijd moeten ontzien en zich rustig moeten houden, vertelde ze met een zorgelijk gezicht en ogen die diep in hun kassen waren weggezonken. Een meisje dat Tine bleek te heten, zat in een stoel vastgebonden en rook sterk naar urine. 'Ze bevuilt zichzelf vaak, maar ik kan haar niet doorlopend wassen en verschonen,' verzuchtte de zorgelijke jongeman gelaten.

'En je vader?'

'Die komt wel weer thuis. Hij is naar de kroeg. Ik ben Pieter Schilles.' Hij stak de drie vrouwen zijn hand toe nadat hij deze had afgedroogd. 'Ik doe wat ik kan om alles draaiende te houden, maar zowel het huishouden doen, naar Tine omkijken als de oogst binnenhalen, dat kan ik niet in mijn eentje.'

Joke en haar moeder keken elkaar geschokt aan. Het huis was ronduit een puinhoop. Het rook er allesbehalve fris. 'Hier is hulp daadwerkelijk hard nodig,' zuchtte ma Van der Sluis ontdaan. Ze had nog nooit van haar leven zo'n vervuild huis gezien.

'Er is wel hulp aangeboden door de kerk,' liet Pieter weten, 'maar mijn vader bonjourde iedereen zijn erf af, of ze konden er niet tegen dat hij 's avonds stomdronken de bedstee in rolde en dan iedereen luidkeels uitmaakt voor alles wat mooi en lelijk is. De dokter heeft hem al honderd keer gezegd dat hij met drinken moet stoppen, dat belooft hij ook iedere keer, maar hij houdt zich nooit aan zijn woord.'

Tante Lijnie had rustig naar hem geluisterd en legde toen zonder iets te verbloemen aan vrouw Schilles uit wat er met Betsie aan de hand was, en dat ze misschien een poosje hier zou kunnen komen om te helpen. Dan had het meisje tijd om een betere oplossing te zoeken voor haar problemen en in die tijd had vrouw Schilles dan de gelegenheid om op te knappen. Als het moment was aangebroken dat ze van de dokter weer uit de bedstee mocht komen, konden ze verder kijken. Maar als Betsie kwam, kon Pieter weer gewoon het boerenwerk doen, want blijkbaar liet zijn vader dat op zijn beloop. Welke boer zat er nu midden in de oogsttijd lam in de kroeg?

Mevrouw Schilles kreeg er tranen van in haar ogen. 'Pieter doet wat hij kan. Hij werkt op het land en geeft ons te eten. De tweeling moet helpen zodra ze uit school komen, maar ze zijn pas negen en zijn bang voor hun vader. Hij heeft een kwade dronk en slaat er geregeld op los met de broekriem. Wij kunnen dat niet voorkomen.'

Terug op de boerderij van oom en tante, liet het Joke niet los wat ze had gezien en gehoord. 'Wat vreselijk om zo te moeten leven,' hakkelde ze, totaal van haar stuk gebracht. 'Wat denkt u ervan, ma? Mogen we Betsie wel aan zulke toestanden blootstellen?'

'Probeer het,' dacht tante. 'Als ze het niet volhoudt, kan ze naar mij toe komen en dan kan ik met die broer van haar overleggen waar ze dan wel naartoe kan. Ik wil in ieder geval best een oogje in het zeil houden.'

'Keus is er niet, nietwaar?'

Zo kwam het, dat Joke na een hoofdzakelijk slapeloze nacht de volgende dag naar het dorp fietste om op het postkantoor het telefoonnummer te bellen van het kantoor van Peter. Het duurde even eer ze was doorverbonden en hem aan de lijn kreeg. Toen hij verbaasd vroeg wat er zo dringend was dat ze hem op zijn werk belde, legde ze dat hakkelend uit.

'Maar dat zou geweldig zijn!' meende hij en ze kon bijna de opluchting op zijn gezicht voor zich zien.

'Ik weet het nog zo net niet, hoor. Er zijn daar allerlei toestanden, Peter.'

'Bij ons thuis ook. Ik neem zaterdagmorgen vrij vanwege dringende familieomstandigheden. Ik denk dat ik een auto huur, ga dan naar huis om mijn ouders uit te leggen dat er mogelijk een oplossing is, haal Betsie op en kom met haar naar de boerderij toe. Als mijn zus besluit dat ze daar niet wil blijven, kan ze meteen weer mee terug rijden en breng ik haar weer naar Zwijndrecht. Laten we het echter wel een kans geven, Joke. O lieverd, als je eens wist hoe opgelucht ik ben!'

'Ik weet nog steeds niet of het wel verstandig is,' bleef ze aarzelen.

Nadat ze weer op de boerderij terug was, keek ze haar tante aan. 'Betsie komt zaterdag met Peter, tante Lijnie. Maar ik heb er zo'n akelig gevoel bij. Het was daar zo'n bende. Ik zou er eigenlijk wel heen willen gaan om zelf in ieder geval alvast wat schoon te maken.'

'Je hebt vakantie, kindje.'

Ze knikte. 'Dat weet ik wel, maar ik kan er nu toch niet van genieten.'

HOOFDSTUK 12

Vrouw Schilles keek naar Joke terwijl deze bezig was. Eerst had ze op het butagastoestel een ketel water warm gemaakt om een emmer sop te maken, waarmee ze de kamer begon te zemen. Ze had de ramen opengezet om frisse lucht binnen te laten in de naar urine stinkende woonkeuken. Vrouw Schilles moest weliswaar plat in bed blijven liggen, maar ze had geen koorts en was ook niet ergens anders door verzwakt. Buitenlucht, in ieder geval frisse lucht, zou haar goeddoen, meende Joke.

Een uurtje later doken haar moeder en tante op. 'We hebben met elkaar overlegd en besloten dat we je een paar uur komen helpen,' deelde tante Lijnie mee. 'Lies bakt straks pannenkoeken, ik hoef me dus geen zorgen te maken over het eten.'

Vrouw Schilles kon haar tranen niet bedwingen. 'Nu komen jullie me allemaal helpen,' snikte ze aangedaan. 'Waar heb ik dat toch aan verdiend?'

De kamer werd schoongemaakt. Ma Van der Sluis verschoonde het bed van de arme vrouw, waste haar grondig en hielp haar zo goed en kwaad als het ging om schoon goed aan te trekken. Zo nu en dan vertrok de arme vrouw haar gezicht van de pijn. Tante deed hetzelfde met de stinkende Tine, maar moest daarbij geholpen worden door Pieter, omdat het meisje wild om zich heen begon te slaan zodra de banden waren losgemaakt waarmee ze op haar stoel vastgebonden had gezeten. 'Ze is achterlijk en moet eigenlijk naar een tehuis,' bekende de afgematte jongeman, 'maar mijn vader wil er niet van weten. Mijn moeder beult zich daarom af om alles draaiende te houden. Tine moet vaak vastgebonden zitten en mijn vader doet niet veel anders dan zijn verdriet wegdrinken. Ik weet best dat iedereen hem veroordeelt om dat drinken. Mijn beide ouders zijn in het verleden door velen met de nek aangekeken, niet alleen om mijn vader, maar ook vanwege Tine. U weet best hoe de mensen kletsen. Ouders moeten wel iets heel ergs gedaan hebben, als God hen straft met een dergelijk kind. Mijn moeder heeft zich dat allemaal erg aangetrokken, maar ze kan er niets aan veranderen. Wij weten dus hoe het is als er op je wordt neergekeken, net als dat meisje dat jullie nu willen helpen. Daarom moet wat ons betreft dat kind een kans krijgen om haar leven weer op de rails te krijgen. Onze Tine heeft zo'n kans nooit gehad. Ze is zo geboren. Ondertussen heeft mijn vader de drank nodig, hij is eraan verslaafd geraakt. Als hij soms probeert ermee op te houden, begint hij helemaal te beven en kan hij niets meer.'

'Hij zou in een kliniek opgenomen moeten worden om dat te ontwennen,' antwoordde tante Lijnie rustig. 'En jij en je moeder dragen de lasten op jullie schouders. Het spijt me dat ik dat nooit eerder zo duidelijk beseft heb, Pieter.'

'De mensen kijken nu eenmaal op ons neer. Ik weet niet beter, en ze doen maar! Wij redden ons zo goed als mogelijk is. Mijn broertjes, u weet wel, de tweeling, worden gepest op school. Ik zal er alles aan doen dat ze straks naar de ambachtsschool kunnen gaan om daar een vak te leren. Het zijn handige knullen, allebei, ze willen hard werken en als ze een vakdiploma hebben, kunnen ze in de toekomst overal aan de slag om een goede boterham te verdienen.'

'En jij?'

'Ik neem de boerderij over. Daar twijfel ik niet aan. Feitelijk beslis ik nu al alles. Mijn vader doet niet veel meer.'

'Hoe oud ben jij eigenlijk, Pieter?' vroeg tante Lijnie, en aan haar ogen kon Joke zien hoe tante geschokt was door zijn verhaal over menselijk leed, dat zich zo vlak onder haar neus had afgespeeld. Waarschijnlijk voelde tante zich zelfs schuldig omdat dit gezin, met alle problemen die er waren, zo aan zijn lot was overgelaten.

'Over drie weken word ik twintig,' antwoordde Pieter kalm. 'In de eerste plaats moet moeder weer beter worden. Tine kan nu weer een poosje naar de zolder. We hebben daar een kamertje gemaakt, waar overal kussens vastgemaakt zijn. Tine kan zichzelf daar niet bezeren als ze los is. Elke dag moet ze daar een paar uur opgesloten worden zodat moeder de handen vrij heeft om het huishouden te doen en zij zichzelf een beetje bewegen kan. En als het lekker weer is, binden we haar buiten aan een lange lijn vast, zodat ze zich bewegen kan zonder iets of iemand kwaad te doen. En dat ze buitenlucht krijgt, dat is nodig om gezond te blijven.'

'Wat een lot, arm kind,' zuchtte tante ontdaan. 'En dat speelt zich al jarenlang af onder onze neus en wij hebben niets voor jullie gedaan.'

'We zijn eraan gewend geraakt, buurvrouw, maar nu komt er mogelijk een vreemd jong meisje hier om ons te helpen. Denkt u dat zij er wel tegen opgewassen zal zijn?'

'Daar kan ik niets van zeggen, ik heb haar nooit eerder ontmoet. Wat denk jij, Joke?'

'Daar heb ik werkelijk geen idee van,' moest Joke toegeven. 'Ik heb haar pas een paar maanden geleden leren kennen. Maar tante, u waakt wel een beetje over Betsie als ze hier is, nietwaar?'

'Jullie kunnen van mij op aan,' stelde Pieter haar meteen gerust. 'Als ik merk dat het te zwaar voor haar wordt, zal ik haar eigenhandig bij je tante brengen en dan kunnen jullie met elkaar beslissen wat er verder moet gebeuren. Heet ze Betsie? Wel, mijn moeder is als een kind zo blij dat er hulp in huis komt, want het boerenwerk kan vanzelfsprekend ook niet blijven liggen. We hebben de inkomsten hard genoeg nodig om van te kunnen leven.'

De kamer was schoon, de moeder en het meisje gewassen. In stilte liepen de drie vrouwen wat later terug naar de andere boerderij. 'Wat vreselijk,' zuchtte tante Lijnie nogmaals. 'En ik voel me zo schuldig dat we dat gezin al

130

jaren links hebben laten liggen vanwege die dronkenlap van een vader.'

'En Tine, wist u daarvan?'

'Het is bekend dat ze daar een achterlijk kind hebben en inderdaad, een grote groep mensen kijkt de familie Schilles daarom met de nek aan. Ik ga er morgen met de vrouw van de dominee over praten.'

De daaropvolgende dagen wandelde Joke veel, maar ze meed de boerderij van de familie Schilles. Ze wist werkelijk niet wat ze van de toestanden daar denken moest. Als Peter en Betsie kwamen, moest dat grondig doorgesproken worden voor ze daar ook maar een voet over de drempel zetten!

Op vrijdag kreeg ze een brief van Betsie. De inkt was hier en daar gevlekt, waaruit bleek dat Betsie had gehuild tijdens het schrijven, maar de brief was een en al opluchting en dankbaarheid. Het vervulde Joke met nog meer gemengde gevoelens. Ze verlangde naar de volgende dag, enkel en alleen omdat het al een week geleden was dat ze Peter had gezien en ze hem ontzettend miste, maar ook omdat ze zich geen raad wist wat het met Betsie moest worden op die boerderij daar met de dronken vader en met Tine, die soms volkomen onverwacht in razernij uit kon vallen. Zou Betsie daar werkelijk beter af zijn dan thuis?

Ach, het was niet aan haar om dat te beslissen. Uiteindelijk moest Betsie dat zelf doen.

De nacht van vrijdag op zaterdag deed Joke amper een oog dicht.

De uren waren die volgende morgen tergend langzaam voorbij gekropen.

Toen er eindelijk halverwege de middag een auto het erf op reed, rende Joke naar buiten, om even later voor het oog van iedereen door Peter in zijn armen te worden genomen en stevig op de wang te worden gezoend.

'Zie je nu wel!' kreet Lies opgewonden. Rakker begon opgewonden om iedereen heen te rennen.

Tot Betsie leek dat alles niet door te dringen. Ze zag bleek en was zichtbaar vermagerd. Het licht in haar ogen leek wel te zijn gedoofd, zag Joke geschrokken, zodat ze Betsie in haar armen nam om haar een stevige zoen op de wang te geven. 'Ik hoop dat je je hier snel beter zult voelen, Betsie, maar ik moet je waarschuwen dat het daar bij de familie Schilles niet gemakkelijk zal worden.'

'Erger dan thuis kan het niet,' klonk het vlak.

Joke wist dat nog zo net niet. Peter stelde zichzelf en zijn zus voor, de hele optocht ging naar binnen. Vader, oom en Flip waren bezig stropakken op de kar te laden om die naar de schuur te brengen. Ze wisten wel wat er stond te gebeuren, maar na een droge, warme week dreigde er onweer, dus de boeren in de omgeving zouden allemaal tot laat op de zaterdagavond doorwerken om zo veel mogelijk van de oogst droog in de schuur te krijgen. Morgen was het zondag, dan mocht er vanzelfsprekend niet worden gewerkt.

Eenmaal binnen vroeg moeder eerst aan Peter of hij soms verkering had met Joke, want wat ze daarnet gezien had liet toch weinig te raden over.

'Ik denk het wel,' reageerde hij schaapachtig. 'Ik heb Joke gemist.'

'Ik jou ook. Maar daarover praten we later nog wel. Hoe is het nu thuis, Betsie? Je ouders willen nog steeds dat je ergens heen gaat waar je je kind af moet staan?'

Het meisje knikte vlak. 'Dit is de enige uitweg. Ik wil het kind houden, dat heb ik al besloten. Ik laat mijn eigen kind niet opgroeien bij vreemden. Ik heb gezondigd, zoals mijn vader me elke dag meermalen voorhoudt, dat is waar, maar ik neem ook de verantwoordelijkheid op me.'

'Je bent mager geworden.'

'Mijn leven is dan ook totaal veranderd. Ik heb geen vertrouwen meer in mensen. Zelfs dominee leest me keer op keer de les. Ik voel me slecht, er lijkt voor mij geen hoop meer te zijn, maar nu is er toch weer een lichtpuntje gekomen. Peter zegt dat jullie mogelijk een oplossing hebben gevonden hier in de buurt.'

Ze waren allemaal gaan zitten. Tante had de nieuwkomers van koffie voorzien en ze schoof de schaal met koek in de richting van het jonge meisje. 'Hier, eet er maar lekker van. Je ziet eruit alsof je dat wel kunt gebruiken. Kind, kind, wat heb jij jezelf een ellende op de hals gehaald!'

Prompt begon Betsie hartverscheurend te huilen. 'Jullie zijn allemaal zo lief voor me, terwijl jullie heus niet beter over mij zullen denken dan alle andere mensen.'

'Peter helpt je toch?' bracht Joke zacht naar voren.

'Ja, hij wel. Jos kwam alleen maar met een adres aan. Er zijn vrouwen die methoden weten om het weg te laten halen. Een dokter laat zich daar vanzelfsprekend niet mee in. Dat wil ik echter niet. Dat is toch een vorm van moord. En dan zouden pa en moe zich nog dieper voor mij schamen, want dan vinden ze toch ook dat het leven gespaard moet worden en dat er dan nog beter een kinderloos echtpaar kan worden geholpen met mijn kind, al wordt het dan nog zozeer in zonde geboren. Volgens mijn vader kan er dan ook niets van het kind terechtkomen, met zo'n zware erfzonde.' Ze slaakte een zucht, maar droogde haar tranen weer en nam toen een slok van de koffie.

'Eet wat,' drong Joke aan.

'Ik heb geen honger, al weken niet. O, nog maar kort geleden was ik zo gelukkig! Niet veel later kreeg ik voor het eerst een vermoeden dat er wat aan de hand was en mijn moeder begon vragen te stellen omdat er geen bebloede doeken in de was verschenen, toen het daar de tijd voor was.'

'Luister, Betsie,' nam tante Lijnie de leiding over het gesprek. 'Joke vertelde ons een paar dagen geleden over jouw zorgen. Daardoor moest ik meteen denken aan het gezin van Schilles, even verderop. Een gezin dat in grote moeilijkheden verkeert. Maar je bent behoorlijk labiel en ik vraag me dan ook af of je daar wel heen moet gaan. Ik denk eerlijk gezegd niet dat je ertegen opgewassen bent.' Onmiddellijk rechtte Betsie haar rug. 'Ik kan wel wat hebben, als ik maar van huis weg ben. Al die spanningen daar, ik kan er niet meer tegen.'

'Daar zijn ook spanningen, en misschien nog wel grotere dan bij jou thuis.'

Peter fronste bedenkelijk de wenkbrauwen. 'Wilt u daar eens wat meer over vertellen, want ik laat mijn zus hier alleen achter als ik erop kan vertrouwen dat ze in goede handen is.'

'Het gezin is in de problemen gekomen, doordat de moeder nu al een poosje plat moet liggen voor haar rug, en dat moet ze nog een paar weken. Minstens. Vrouw Schilles is gewoonlijk een kordate vrouw die van aanpakken weet, maar nu kan ze niets doen. Haar man echter is een notoire dronkenlap, die ook nog weleens losse handen schijnt te hebben. Bovendien is er een achterlijk meisje in huis, dat zichzelf bevuilt en een deel van de dag vastgebonden moet zitten, omdat ze anders gaat slaan. Een ander deel van de dag wordt ze opgesloten in een zolderkamer, die speciaal voor haar is ingericht zodat ze zich niet bezeren kan. Er is een zoon, Pieter, die probeert te redden wat er te redden valt. Hij doet het werk op het land omdat zijn vader daar nogal eens de hand mee licht en hij doet ook zo veel mogelijk in huis, nu zijn moeder dat niet kan. Maar hij schiet natuurlijk aan alle kanten tekort, omdat zoveel werk niet door een mens alleen gedaan kan worden. Verder is er nog een tweeling, twee stille jongens van een jaar of negen of misschien tien, dat weet ik niet precies. Dat zijn verlegen jongens. Ze worden volgens vrouw Schilles nogal gepest op school. Kijk, huishoudelijke hulp is daar bittere noodzaak. Ik ben er deze week heen geweest, met Joke en mijn schoonzus, en we zijn ons ongelukkig geschrokken over wat we daar aantroffen. Daar wikkel ik geen doekjes om. Ik zeg dit allemaal eerlijk, Betsie. Peter, jullie moeten een grondige overweging maken of Betsie wel tegen zoveel narigheid is opgewassen. Aan de andere kant zou ik voor willen stellen dat als Betsie denkt dat ze het aandurft, dat ze alleen overdag daar is, en dat ze 's nachts bij ons komt slapen. Als zij daar het huishouden doet, kan Pieter weer voor de boerderij zorgen. Er zou rust kunnen komen in dat gezin. Er zijn al jarenlang problemen met Schilles zelf. Daar moet je voor oppassen, Betsie. Hij heeft volgens zeggen een kwade dronk en wil dan wel eens om zich heen gaan schelden en tieren. Tine is feitelijk eerder zielig dan wat anders. De familie wordt erop aangekeken, dat ze een achterlijk kind hebben gekregen. Je weet hoe mensen zijn.'

'Ze hebben daar dus te maken met een vooroordeel, net als ik nu,' zuchtte Betsie. 'Wat dat betreft zijn we dan aan elkaar gewaagd.'

'Ze mag dus hier slapen,' peinsde Peter, 'dat klinkt wel geruststellend. Als mijn zus daar gaat helpen en het zou niet gaan, mag ze dan naar u toe komen tot ik in staat ben haar weer op te halen?'

'Dat wil ik wel beloven.'

'Ik ben op kantoor per telefoon te bereiken.'

'Ik kan in het dorp bij het postkantoor telefoneren en als jij ons iets moet laten weten, kan dat per telegram.'

'Dat zou dan geregeld zijn. Ik denk dat we er dan maar moeten gaan kijken. Als Betsie de taak op zich wil nemen en ik het gevoel heb dat ik erop kan vertrouwen dat dit daadwerkelijk een voorlopige oplossing is, dan vertrek ik weer. Anders neem ik haar mee en breng ik haar terug bij onze ouders.'

'Nee,' kreunde Betsie.

'Het kan niet anders,' dacht haar broer en Joke vond in

haar hart dat hij gelijk had. Ze glimlachte naar hem. 'Ik ben ervan onder de indruk dat je zo goed op Betsie past.' 'Het is gemakkelijk om iemand die een fout gemaakt heeft, met verwijten te achtervolgen, meisje. Natuurlijk heb ik ook wel wat te zeggen gehad over haar domme gedrag, dat nu zulke verstrekkende gevolgen heeft. Maar daarmee verander je nog niets aan de feiten en Betsie moet toch vóór alles geholpen worden. Dat kind komt, of we haar nu aan haar lot overlaten of niet, dus daar moeten we de ogen niet voor sluiten.' 'Neem eerst nog een kop koffie,' stelde tante voor. 'Laat alles even bezinken. Ik heb jullie naar eer en geweten gewaarschuwd, maar ik besef ook dat niet alleen Betsie een meisje in nood is, maar dat daar een heel gezin dringend hulp nodig heeft. De vader schijnt niet te redden te zijn, en die moet je maar liever zo veel mogelijk ontlopen, Betsie. Tine heeft er niet om gevraagd om zo geboren te worden, maar die moet je maar aan Pieter overlaten. Pieter is een fijne vent, ook al is hij nog niet eens twintig. Hij, zijn moeder en die twee kleine jongetjes, ze lijden allemaal onder die andere twee. Ik voel me schuldig omdat er zoveel aan de hand was, vlak bij mij in de buurt, en dat er niet eerder een helpende hand naar hen is uitgestoken.' Tante vermande zich. 'Als jij daar overdag voor het huishouden zorgt en hier eet, dan heb je in ieder geval gratis onderdak en vooralsnog de tijd om na te denken hoe je de problemen die later op je af komen op moet gaan lossen. Waar je het kindje geboren laat worden en wat je daarna gaat doen, zijn zaken die je zelf op moet lossen, maar er komt in ieder geval ruimte.' 'Wel,' stelde Peter een kwartiertje later voor, 'laten we dan nu maar eens bij Schilles gaan kijken.' Met elkaar liepen ze de weg op. Lies kwam naar hen toe huppelen, maar kreeg de opdracht terug te gaan en vader Van der Sluis te waarschuwen. 'Hij moet mee,' zo dacht zijn vrouw erover. 'Ik wil weten wat pa ervan vindt.'

Ze wachtten even op hem en daarna liepen ze een eind langs de stille landweg, daarna de bocht om, de doodlopende weg op naar de oud en vervallen ogende boerderij van de familie Schilles. Pieter kwam uit huis lopen. Zijn gezicht stond erg opgelucht. 'Is dat Betsie?'
De twee schudden elkaar de hand en daarna keek Peter de afgetobde jongeman in de ogen. 'Ik moet jullie wel waarschuwen. Pas goed op mijn zus, want ze is me erg dierbaar.'
'Mijn vader is er nu niet, die is weer… Ach, in ieder dorp zijn wel van die dronkenlappen als mijn vader. Jullie kunnen je er wel iets bij voorstellen.'
'Is mijn zus veilig voor hem?' wilde Peter nadrukkelijk weten. 'Daar zorg ik eigenhandig voor, mijnheer Boerlage.'
Peter knikte. Even later stonden ze binnen. Tine was schoon en zat vast. Mevrouw Schilles kreeg tranen in de ogen toen Betsie haar een hand gaf. 'Ik vind het zo vreselijk om machteloos te moeten blijven liggen en toe te moeten zien hoe alles uit de hand loopt,' hakkelde vrouw Schilles opgelaten. 'Maar als ik toch ga lopen, is er een kans om blijvend verlamd te raken, heeft de dokter gezegd. Nu is het maar voor een paar weken, maar als ik in een rolstoel terecht zou komen, moet Tine weg en…'
Ze schoot vol, maar wist zich verder te beheersen.
De kamer was netjes gebleven, zag Joke in een oogopslag. Daar was ze blij om, anders had Peter Betsie zeker niet achter durven laten.
Er werd rondgekeken, niet alleen in huis maar ook buiten. Pieter was eerlijk, toen zijn moeder hen niet langer horen kon. 'Moe gaat eraan kapot, maar ze is veel te bang voor het verlamd raken om uit bed te durven komen. De wijkzuster komt haar sinds eergisteren wassen en op de po helpen. Daar zijn we erg blij mee.'
'Ik heb dominee om raad gevraagd, Pieter. Ik ben eerder deze week vreselijk geschrokken.'

'Dat vermoedde ik al. Mijn vader verbood ons steeds om ergens hulp te vragen. Hij zegt aldoor dat hij best voor zijn eigen gezin kan zorgen, maar dat is natuurlijk niet zo.' De jongeman zuchtte. 'De jongens helpen mij voor en na schooltijd. Zo jong als ze zijn, zorgen zij al voor het melken. Als mijn vader halverwege de morgen zijn roes van de vorige dag heeft uitgeslapen, helpt hij mij wel een paar uur, maar vroeger of later begint hij weer te drinken en dan ben ik hem liever kwijt dan rijk. Zo nu en dan drinkt hij een dag niet, zegt zelfs dat hij dat nooit meer zal doen, maar dat houdt hij nooit lang vol en dan begint alles weer van voren af aan. Ik zal goed op uw zus passen, mijnheer Boerlage, dat beloof ik plechtig.'

'Ze slaapt bij ons,' liet tante Lijnie voor alle duidelijkheid weten.

'Wel, Betsie, jij bent degene die uiteindelijk de beslissing moet nemen,' zei Peter op een gegeven moment. 'Als Pieter hier en Jokes tante op je passen, kan ik mijn bedenkingen en aarzelingen voldoende opzij zetten om je hier achter te durven laten. Dus zeg maar wat jij denkt dat het beste is.'

Het meisje leefde op. 'Thuis is het zo verschrikkelijk, dat alles beter is. Ik kan me hier nuttig maken, dat zie ik ook wel. Misschien helpt me dat om mijn schuldgevoelens beter de baas te kunnen worden.'

'Goed dan,' knikte Peter. 'Ik laat mijn telefoonnummer achter, ook bij jou, Pieter. En denk erom, mijn zusje is me dierbaar. Ik wil geen spijt krijgen van de beslissing die ik nu neem.'

'Dat beloof ik,' antwoordde de jonge kerel. Hij was veel te vroegwijs, meende Joke.

'O, ik ben zo blij dat ik niet meer naar thuis terug hoef,' haalde Betsie nu al ruimer adem. Ze rechtte de rug en leek weer een beetje op de vrolijke meid die Joke een paar maanden geleden had leren kennen. Tegelijkertijd voelde Joke zich beklemd. Wat moest Betsie geleden heb-

ben, om in korte tijd zo'n schaduw van zichzelf te worden, besefte ze. En dat in de familie die zij destijds als zo
gezellig had ervaren. De familie die, als alles ging zoals
het zich nu liet aanzien, over een poosje haar schoonfa-
milie zou worden.

HOOFDSTUK 13

Peter sloeg een arm om haar schouders en maalde er blijkbaar niet om, dat ze vanuit de boerderij zo goed als zeker in de gaten werden gehouden. 'Wat een dag,' zuchtte hij vermoeid. 'Eerst een hoop gedoe bij mijn ouders thuis. Daarna de reis hierheen. Ik ben er toch niet helemaal gerust op om Betsie hier achter te laten. Maar ze wil graag blijven.' Hij zuchtte. 'Nu hebben we gegeten en moet ik weer vertrekken, en zie ik jou opnieuw een eindeloos lang durende week niet.' Rakker rende op hen af met een tak in zijn bek. Peter pakte die en gooide hem weg, waarop de hond er meteen enthousiast achteraan stoof.

Ze leunde even vertrouwelijk tegen hem aan. 'Ik zal jou ook missen, maar tegelijkertijd voelt het eigenlijk wel goed dat ik nog een week bij Betsie in de buurt ben. Ik hou het wel een beetje in de gaten, Peter.'

Hij ontspande eindelijk en gooide de tak nog een paar keer weg. Nu kon hij weer glimlachen, voor het eerst in de afgelopen uren. 'Daar had ik nog niet eens over nagedacht. Dat is inderdaad een grote geruststelling! Neem je aan het einde van de week alsjeblieft een brief van haar voor mij mee? En probeer haar over te halen dat ze er ook een naar onze ouders stuurt. Dat zullen pa en moe wel op prijs stellen, hoop ik.'

'Wat vind jij eigenlijk van de harde opstelling van je ouders, Peter?' vroeg ze nieuwsgierig.

Hij kneep even peinzend de ogen samen. 'Het is hoofdzakelijk mijn vader die de toon zet. Mijn moeder vindt het allemaal wel erg, maar Betsie is en blijft haar oudste dochter, en ze zal de hulp in huis ontzettend missen. Mies moet nu thuisblijven om moe te helpen, maar dat wil ze helemaal niet en daar is nu weer onenigheid over.' Hij slaakte een zucht. 'Soms ken ik ons eigen gezellige gezin van nog maar zo kort geleden helemaal niet meer terug.'

'Het is niet zo moeilijk om in harmonie met elkaar te leven, zolang er zich geen grote problemen voordoen,' meende ze.

'Daar begin ik achter te komen. Ons harmonieuze gezin, levend op christelijke grondslag, blijkt niet zo stevig en stabiel te zijn als ik kort geleden nog dacht. Het harde oordeel van mijn vader over andersdenkenden was me al eens eerder een doorn in het oog. Maar nu helpt hij zijn dochter in nood niet. Integendeel, hij stoot haar van zich af door iets van haar te eisen dat ze niet kan: het kind in stilte en schande geboren laten worden en het dan afstaan, zodat ze verder moet leven zonder te weten waar het is of wat er van het kind geworden is. Dat vraagt te veel van Betsie. Daarom is ze zo stil en mager en wanhopig geworden. Mijn moeder zegt evenmin veel meer, omdat ze klem zit tussen die twee. Het is verschrikkelijk, Joke. Aan de ene kant schaam ik me voor mijn vreugde dat ik daar niet meer dagelijks over de vloer kom. Aan de andere kant weet ik nu al een ding zeker: zo benauwd omgaan met ons geloof, dat wil ik niet.'

'Ik maak me er steeds meer zorgen over wat je ouders van jou en mij zullen zeggen.'

Hij keek ernstig. 'Dat weet ik nu al. Twee geloven op een kussen, daar slaapt de duivel tussen. En pa zegt altijd dat alle mensen van een andere kerk dan de onze later in de hel zullen komen, omdat alleen wij het juiste geloof aanhangen.'

'Meen je dat?' vroeg ze geschokt.

'Helaas. Het begint tot me door te dringen hoe hard zijn oordeel over anderen is, en steeds vaker vraag ik me af of dat eigenlijk allemaal wel zo christelijk is, en dan voel ik me weer schuldig, want tegelijkertijd weet ik ook heel zeker dat mijn vader het allemaal goed bedoelt.'

'Het is kortzichtig,' dacht Joke op haar beurt. 'Maak jij je geen zorgen over ons?'

Hij keek haar aan. 'Zorgen is een te groot woord. We zullen veel verzet ontmoeten, dat is duidelijk, maar ik weet nu al dat ik dat naast me neer zal leggen. Ik hou van je, Joke. Ik voel nu de ogen van je ouders en vooral die van Lies in mijn rug prikken.'

Om dat laatste kon ze niet lachen. 'Ik hou ook van jou.'

'Dus we gaan ervoor, elkaar beter te leren kennen en samen een toekomst op te bouwen?'

'Ja, Peter, dat wil ik heel graag.'

'Mooi, dan hebben we van nu af aan officieel verkering en binnen een paar weken neem ik je als mijn meisje mee naar huis. Het zal een nieuwe schok voor pa betekenen, maar hij moet aanvaarden dat er mensen zijn, waaronder jij en ik, die zelf de waarden en normen bepalen volgens welke wij gaan leven. Hij zal mij waarschijnlijk ook kwalijk nemen dat Betsie hier is.'

'We zullen het nemen zoals het komt, goed?'

Hij trok haar tegen zich aan en ze beantwoordde zijn zoen. Ondanks alle zwarigheden van deze dag, voelde ze op dat moment een diepe rust over zich heen komen. 'Weet je waar ik ineens aan denken moet?'

Hij liet haar weer los en keek haar vragend aan.

'Dat Jezus zich er toch wel heel erg over moet verbazen, daarboven, wat de mensen na zoveel eeuwen hebben gemaakt van zijn leringen. Ik bedoel: de katholieke kerk met alle poppenkast van heiligenbeelden en zo. De protestantse kerken hopeloos verdeeld, elkaar verwijtend dat een enkele Bijbeltekst soms op een andere manier moet worden uitgelegd. Zo kan Hij het toch zeker niet bedoeld hebben, denk je wel, Peter?'

Hij lachte wat onzeker. 'Ik wou dat ik het wist. Maar geloof heet niet voor niets geloof, Joke. Niemand heeft de zekerheid, iedereen leeft op die manier met zijn geloof, als hij of zij denkt dat dit het beste is. Zelfs niet-christenen doen dat. Maar ik begrijp wat je bedoelt: je hoeft het niet met een ander eens te zijn, maar je mag niet zo ver gaan te denken dat jij of jouw inzichten beter zijn dan die van

een ander. Begrijp ik dat zo goed?'
'Zo ongeveer, maar je vader zal een dergelijke mening evenmin op prijs stellen.'
'Zie je ertegen op, dat we het mogelijk moeilijk gaan krijgen vanwege mijn ouderlijk huis?'
'Nee,' wist ze op dat moment. 'Jij en ik zijn samen en dat zullen we blijven. Dat voel ik. Als je ouders dat niet accepteren, zullen we toch in Rotterdam ons eigen leven hebben. Denk je niet?'
'Beslist. Kom, het is de hoogste tijd, ik moet weer vertrekken. Ik heb de wagen tegen vergoeding van de benzinekosten mogen lenen van mijn chef, en die moet hij terug hebben om morgen met zijn gezin naar de kerk te gaan.'
Ze liepen naar de boerderij terug. In de bocht van de weg, waar een paar wilgenbosjes stonden en waar ze vanuit het huis niet gezien konden worden, nam hij haar zonder de geringste aarzeling te tonen in zijn armen. 'Ik ben zo blij dat ik je heb leren kennen,' mompelde hij na een lange zoen. Rakker sjokte inmiddels rustig achter hen aan.
Ze leunde behaaglijk tegen hem aan. 'Ik ook,' glimlachte ze en ze was er verbaasd over dat een mens zich zo gelukkig kon voelen, al waren er voorlopig meer dan genoeg dingen om zich druk over te maken.
Ineens moest hij lachen. 'Eigenlijk is het gek, zomaar in een oogopslag te weten: dat is de ware voor mij. Maar toch was het zo. Wacht.' Behendig sprong hij over de sloot. Aan de andere kant plukte hij een paar nog niet gemaaide tarwehalmen, wat klaprozen, margrieten en blauwe korenbloemen. Hij bond het met een paar graanhalmen vast tot een boeketje en sprong weer terug naar de andere kant van de sloot. 'Alsjeblieft, lieve schat. Voor jou. Jouw ogen zijn even blauw als die korenbloemen. Misschien hebben ze daarom wel zo'n indruk op me gemaakt.'
Ze bloosde ervan. 'Wat mooi. Weet je dat korenbloemen, margrieten en klaprozen vaak dicht bij elkaar bloeien?'

'Mijn moeder zegt altijd dat dit komt omdat ze samen de kleuren van ons land vormen. Rood, wit en blauw.'
Ze moest nog harder lachen, maar werd snel weer ernstig toen ze verder liepen, hij met zijn arm losjes om haar schouders geslagen. Ze wist heel zeker dat ze nu weer werden gezien. Daarmee kwam ook haar bezorgdheid weer terug. Maar ze zwegen verder allebei.
'Het is wel mijn geluk dat ik niet meer alle dagen thuis woon,' bekende Peter voor ze weer naar binnen gingen. 'En ik hoop van harte dat Betsie geen spijt krijgt van de stap die ze vandaag zet.'

De volgende dag ging Betsie met hen mee naar de kerk en nog voor de dag om was, stelde Joke vast dat het meisje rustiger werd, trek kreeg in haar eten, zo nu en dan zelfs durfde te glimlachen.
In de middag gingen de twee vriendinnen samen wandelen. 'Ik ben blij dat we eindelijk samen kunnen praten zonder dat anderen ons horen,' begon Betsie vrijwel meteen. 'Dank je voor alles, Joke, dat in de eerste plaats. We hadden elkaar goedbeschouwd maar een paar keer ontmoet voor ik mezelf in de problemen bracht.'
'Je hebt maar weinig over Arie verteld.'
'Het speelde zo'n beetje in dezelfde tijd. Hij maakte werk van me, we zagen elkaar 's avonds op een plekje waar we altijd afspraken. We lachten wat, hij is een gezellige prater, het was leuk. Mijn leven was niet erg uitdagend en soms was ik opstandig dat ik thuis zo hard mee moest werken en nauwelijks nog uitstapjes of gezelligheid had, behalve dan als er iets werd georganiseerd door onze kerk. Maar ik wist niet beter, tot ik hem leerde kennen. Arie kon zo grappig vertellen over een heel andere wereld. Naïef was ik zeker! Ik verloor mijn hart vrijwel meteen en vanzelfsprekend had ik me nooit moeten laten overhalen te ver te gaan, maar op het moment zelf voelde het eigenlijk alleen maar vanzelfsprekend.'

Betsie keek peinzend over de velden. 'Hier zie je overal de horizon,' stelde ze verwonderd vast. 'Zo dicht bij Zwijndrecht en dan toch weer heel anders. Maar goed, het gebeurde een paar keer. Thuis had niemand wat in de gaten. Ja, Jos misschien, maar dat is zelf een flierefluiter en ik kan alleen maar hopen dat hij op zijn beurt geen meisje in de problemen brengt. Toen bleef mijn menstruatie uit. Eerst had ik het nog niet eens in de gaten. Moe begon vragen te stellen of ik soms ziek was, want ze wist immers niets van Arie. Maar ik wel. Ik werd bang. Ik begon te twijfelen. Ik vertelde het Arie, en toen draaide hij om als een blad aan een boom. Ik schrok me ongelukkig en kwam ontdaan thuis. Pa en moe trokken het hele verhaal uit me en toen begon de ellende. Wat heb ik een verdriet gehad! Natuurlijk is het uiteindelijk allemaal mijn eigen schuld, maar alle verwijten, het zo ongeveer verstoten worden, wat heeft dat een verdriet met zich mee gebracht! Ik heb gerend, getild, gesprongen, alles geprobeerd om het kind maar te verliezen, maar het hielp niet. Iemand bij ons in de buurt, een vrouw die al naar de dertig loopt, keurig getrouwd, kreeg in die tijd voor de vierde keer een miskraam. Zo onrechtvaardig! Toen werd ik ook opstandig naar God toe en begon ik aan het geloof te twijfelen waarin ik ben opgevoed. Als het allemaal Gods wil is, waarom moet ik dan een kind krijgen, terwijl ik daar helemaal nog niet klaar voor ben, en mag iemand die er zo naar verlangt, dan geen kind krijgen?'

'Dat zijn vragen waarop wij mensen nooit antwoorden zullen krijgen,' meende Joke.

Betsie knikte. 'Toen Peter kwam om te vertellen dat jij mogelijk een tijdelijke oplossing voor mij had gevonden, kon ik wel een gat in de lucht springen.'

'Het zal daar niet eenvoudig zijn, dat heb je toch ook wel in de gaten?'

'Zo erg als thuis kan het niet worden,' meende Betsie, vast overtuigd.

'Ik vind het onvoorstelbaar.' Joke zuchtte. 'Ik zie er best tegen op, er zelf ook mee te maken te krijgen. Peter en ik maken ons er zorgen over.'

Betsie was meteen van haar eigen problemen afgeleid. 'Ik wist niet wat ik zag, gisteren. Jij en mijn broer! Jos heeft het nog alle dagen over je. Die was meteen weg van je.' Ze moest lachen. 'Ik niet van hem. Bij Peter en mij was het praktisch liefde op het eerste gezicht, maar hij was verloofd met Rosie.'

'En zette er een punt achter.'

'Zie jij Rosie nog weleens?'

'Ze is geregeld bij Anton. Ze heeft het er moeilijk mee en schijnt nog steeds te hopen dat Peter spijt krijgt van zijn beslissing. Ik begrijp nu wel dat dat niet gaat gebeuren. Maar waarom zouden jullie het moeilijk krijgen thuis? Als jullie tenminste goed oppassen en niet dezelfde stommiteit begaan als ik.'

'Ik ben van een andere kerk, Betsie.'

'O, dat. Ja, voor mijn pa is dat inderdaad een belangrijk punt. Hij zal je opdragen om van kerk te veranderen. Het is aan jou om erover na te denken of je dat voor Peter wilt doen.'

'Of Peter wil naar onze kerk gaan en dus zelf van geloof veranderen.'

'Dan, inderdaad, breekt thuis opnieuw de hel los.'

Joke rilde ineens. 'Peter zegt dat hij volwassen is en dat zijn ouders, zijn vader vooral, voortaan moeten accepteren dat hij zijn eigen beslissingen neemt.'

'Nu, ik help het je hopen, maar ik geef je weinig kans. Ik kon me vroeger niet voorstellen dat ik ooit iets lelijks over mijn vader zou zeggen. Maar nu is dat zo. Mijn vader is hard. Bikkelhard zelfs. Het is eigenlijk bij nadere beschouwing ook een beetje dom, als iemand er zo van overtuigd is het bij het rechte eind te hebben en te denken dat alle mensen die anders denken, dat verkeerd doen.'

'Maar eerst moeten we afwachten hoe jij de komende

week doorkomt. Peter heeft me gevraagd of je een brief mee wilt geven als wij zaterdag weer naar huis gaan.'

'Dat zal ik doen,' beloofde Betsie grif. 'Het is wel een geruststelling dat ik altijd bij je tante terecht kan als zich daar bij Schilles problemen voordoen waar ik niet tegen opgewassen ben. Maar vandaag voelt het bijna of ik zelf met vakantie ben, gewoon door thuis weg te zijn.'

'En dat is nu juist zo triest,' vond Joke op haar beurt. 'Heel triest. Misschien is het verstandig om aan het eind van de week een kort briefje aan je ouders te sturen, Betsie. Ondanks alle verschillen moet je toch proberen de deur naar thuis niet helemaal dicht te gooien, maar die op een kier te houden. Ooit zal je kind gaan vragen naar zijn vader en naar zijn grootouders. Zijn vader zal hij mogelijk nooit zien, en jouw ouders zijn de enige grootouders die je kind ooit zal hebben.'

'Zo ver vooruit heb ik nog niet eens gedacht,' antwoordde Betsie getroffen. 'Maar ik zal het onthouden. Misschien ga ik weer iets milder over mijn vader denken als ik hem niet meer dagelijks in de ogen hoef te kijken en niet dagelijks word overspoeld met een nooit aflatende stroom verwijten.'

'Ik hoop het,' antwoordde Joke. 'Niet alleen voor jou, maar ook voor Peter en mijzelf.'

'Straks ben je dus familie van me. Een schoonzus, Betsie.' Betsie lachte weer. 'Bof ik daar even mee.'

Joke was voorzichtiger. 'De toekomst zal het leren.'

Op maandag voelde Joke zich onrustig. Meteen na het ontbijt was Betsie naar de familie Schilles gelopen. Haar vader hielp nog steeds mee op het land. Zelf maakte ze met Flip, Lies en de kinderen van tante Lijnie een roeitochtje over de kreek. Het verwachte onweer was uitgebleven, de warmte was weggetrokken en nu was de lucht bewolkt. Voor de avond viel zou het waarschijnlijk gaan regenen, maar tot dat het geval was, waren alle boeren druk doende om nog zo veel mogelijk van hun oogst droog onder dak te krijgen.

Betsie kwam pas tegen zeven uur die avond thuis. Ze was een beetje stil. Maar Joke, haar moeder en tante barstten van nieuwsgierigheid. 'Viel het tegen?' drong tante aan. 'Dan moet je dat eerlijk zeggen.' Betsie keek de andere vrouwen aan. Inmiddels regende het zachtjes. Vader en oom speelden een partijtje schaak en deden net of ze niets hoorden. Flip was buiten om eieren te rapen in het kippenhok. Joke voelde zich bezorgd.

'Ik ben ontzettend moe,' bekende haar vriendin, 'maar er is daar zoveel te doen, dat ik me daar niet eens over verbaas. Ik heb vandaag gewassen. Er lagen bergen wasgoed. Pieter heeft me geholpen met het vullen van de teil en met de wringer. Een wasmachine hebben ze daar nog niet en ook geen geiser, dus al het water moet eerst op het butagasstel warm worden gemaakt. Maar het is me gelukt. Alles hangt nu in de bijkeuken te drogen. Tine heeft de hele dag vastgebonden gezeten. Dominee kwam langs om bij vrouw Schilles te kijken. Hij weet een heel goed tehuis voor meisjes als Tine, vertelde hij. Nu ze bijna volwassen is en steeds sterker wordt, komt er onvermijdelijk een dag dat ze niet langer thuis te handhaven is. Dat tehuis is in Rotterdam, en dominee probeerde vrouw Schilles over te halen Tine daar op de wachtlijst te laten zetten. Pieter was het met hem eens, maar het arme mens is net zo bang voor haar man als ik voor mijn eigen pa.'

'Inschrijven kunnen ze alvast. Dat verplicht tot niets. Het meisje zal niet meteen daar kunnen worden opgenomen, dus dan hebben ze nog tijd genoeg om een definitieve beslissing te nemen,' meende tante.

'Dat zei Pieter dus ook. Dominee laat haar daarom daadwerkelijk inschrijven. Aan Schilles zelf is daarover niets meer gevraagd.'

'Heb je hem gezien?'

Betsie knikte. 'Hij was nors en zei niets. Hij heeft met

148

Pieter samen de korenschoven binnengehaald, maar in de middag was hij ineens verdwenen en ik heb hem niet teruggezien. Volgens de jongens zat hij dus in de kroeg. Dat is erg, als iemand zo aan drank is verslaafd dat hij zichzelf niet eens meer meester is en niet eens meer voor zijn gezin kan zorgen! Pieter heeft me een stukje weggebracht. Hij hoopt dat ik durf te blijven. Ik ben een zegen voor zijn moeder en voor de rest, zei hij toen hij afscheid nam. En ik ben ermee geholpen, echt waar. Misschien ontdekt mijn pa zelfs wel dat hij me mist, als ik er niet ben?'

'En je moeder?'

'Die mist me zeker, al was het alleen maar omdat Mien het vertikt om te stoppen met haar werk, want dan kan ze niet meer sparen voor later, dus moet ze moe helpen als ze 's avonds thuis is.'

'Hoop je dan toch dat je weer thuis mag komen?'

Betsie haalde haar schouders op. 'Ik weet niet meer wat ik hoop, denk of wil. Ik weet alleen nog maar wat ik voel, en dat is spijt en verdriet. Maar ik moet proberen vooruit te kijken. Over een halfjaar krijg ik een kind en ik wil het houden. Dat kind moet ergens geboren worden, en dat zal het ziekenhuis wel worden, en Peter moet dat dan betalen als het ziekenfonds dat niet doet. En daarna? Waar vind ik werk waarbij ik tegelijkertijd voor mijn kind kan zorgen? Als ik daar antwoord op heb, krijg ik misschien weer een beetje vertrouwen in het leven.'

HOOFDSTUK 14

Het werden, tegen alle verwachtingen in, heerlijke dagen. Betsie vertrok alle ochtenden al vroeg naar de boerderij van de familie Schilles. Joke maakte lange tochten op de fiets, ging in de omliggende dorpen kijken en een enkele keer vlakbij in het Haringvliet zwemmen, waar plekjes waren met kleine strandjes. Haar moeder ging soms mee en op andere dagen hielp ze tante met het een of ander. Het was vrijdag geworden voor ze het wist en die avond werd ze geplaagd door gemengde gevoelens. Ze verlangde er aan de ene kant erg naar om morgen weer terug te gaan naar huis, want dan zou ze Peter weer zien. Maar ze vond het aan de andere kant moeilijk om Betsie alleen achter te laten.

De twee meisjes wandelden die laatste avond samen een stukje in de richting van het dorp. 'Wees nu eens eerlijk hoe je het deze week daar hebt gehad,' drong Joke aan, nadat Betsie haar twee enveloppen had gegeven.

'Een brief voor Peter zoals hij had gevraagd, en de andere is een kort berichtje voor mijn ouders met uitleg waar ik ben en wat ik daar doe. Aan Peter heb ik uitgebreid geschreven dat ik daar nuttig werk doe en dat geeft me een goed gevoel. Het is niet altijd gemakkelijk geweest, maar het is veel beter om daar te zijn dan thuis bij mijn ouders, met de hele dag door die verwijtende ogen en de snerende opmerkingen.'

'Mis je je thuis helemaal niet? Ik bedoel, jullie gingen nooit op vakantie, je bent waarschijnlijk nog nooit zo lang van huis geweest.'

Betsie haalde nadenkend haar schouders op. 'Als je me dat een paar maanden geleden had gevraagd, had ik geantwoord dat ik snel heimwee heb en inderdaad nooit langer dan twee of drie dagen van huis ben geweest, mijn leven lang niet. Een luxe zoals vakantie, dat kennen wij van huis uit niet. De tuinderij ging altijd voor en met zo velen zou het ook een prijzige aangelegenheid zijn. Veel mensen kennen een dergelijke luxe niet, omdat het te veel geld kost.'

'Wij zouden ook nooit op vakantie gaan als de broer van mijn moeder niet hier op een boerderij woonde.'

'Het is mooi hier.'

'Dat ben ik met je eens. Dit is een echt landbouwgebied en dat is toch heel anders dan de tuinderijen bij jullie thuis, en al helemaal een groot verschil met die grauwe stenen van de stad.'

'Houd je niet van de stad? Mij lijkt het wel leuk, daar is altijd wel wat te doen.'

'Het is ook benauwend, de ene straat na de andere, overal mensen. Het huis van Peter ligt aan een fraaie singel, dat is al heel wat beter dan die smalle straten zoals de straat waar wij wonen,' mijmerde Joke. 'Zijn jullie al eens bij hem wezen kijken?'

'Mijn vader en moeder een keer, maar wij nooit. Maar goed, weet je, ik heb de laatste weken zoveel verdriet gehad thuis, dat ik mijn ouders niet eens mis. Ik kom hier tot rust. Ik ben je oom en tante diep dankbaar dat ik bij hen mag logeren, al werk ik alle dagen bij Schilles.'

'Behalve op zondag, en morgen is het zaterdag, dan werk je toch zeker net als alle andere mensen maar de halve dag?'

'Dat weet ik nog niet. Ik zal het wel met Pieter overleggen. Pieter is een fijne vent. Hij probeert zijn vader uit de buurt te houden, niet alleen van mij, maar ook bij zijn moeder, Tine en broertjes vandaan. Het lijkt wel of hij alle anderen tegen zijn vaders dronken gedrag wil beschermen.'

'Feitelijk is hij veel te jong om zoveel verantwoordelijkheden te moeten dragen.'

'Hij is dan ook ontzettend dankbaar dat ik de familie voorlopig een handje help. Joke, ik kan je niet genoeg danken dat je mijn probleem aan je tante hebt voorgelegd. Echt, pieker er maar niet over of ik het wel red. Ik ben hier veel beter af dan thuis.'

Joke knikte nadenkend. 'Over dat laatste maak ik me wel zorgen, Betsie. Je hebt natuurlijk wel gemerkt dat Peter en ik gevoelens voor elkaar opgevat hebben.'

'Ja, hij zag je en niet veel later gaf hij Rosie zijn verlovingsring terug. Wel, hij mag blij zijn dat jullie elkaar ontmoet hebben voordat hij getrouwd was, want dan had hij er niets meer aan kunnen veranderen.'

'Wat jij over je ouders vertelt, trek ik me daarom heel erg aan. Je weet dat ik van een andere kerk ben, en dat zal voor je ouders waarschijnlijk een nieuwe klap betekenen.'

'Pa zal van je eisen dat je lid wordt van onze kerk.'

'Hij kan dat niet eisen. Lid zijn van een kerk doe je niet omdat dit wordt afgedwongen. Ik wil naar mijn eigen kerk blijven gaan en Peter naar de zijne. Daar hebben we het al over gehad. Misschien gaan we om beurten met elkaar mee. Pas als ik zwanger zou worden, is het waarschijnlijk wel in het belang van het kind dat wij er samen voor kiezen naar dezelfde kerk te gaan, en dan moeten we erover praten waar we ons beiden het best bij thuis zouden voelen. Maar ik ga niet van kerk veranderen enkel en alleen omdat jouw vader dat af wil dwingen. Dan zou ik in conflict komen met mijn geweten, en voor Peter is dat dus niet anders. Ik weet heus wel dat dit tot nieuwe spanningen bij jullie thuis zal leiden en daar zie ik tegen op.'

'Dat kan ik me voorstellen,' knikte Betsie en haar gezicht kreeg een ernstige uitdrukking. 'Nog maar een jaar geleden zou ik zoiets weggelachen hebben met woorden als: we zijn toch allemaal christenen, allemaal protestanten? Maar na wat ikzelf heb meegemaakt, ben ik er ook beducht voor wat mijn vader zal gaan zeggen of doen. Ik vrees dat hij van Peter eist dat die een eind maakt aan zijn omgang met jou.'

'Dat doet Peter niet.'

Betsie was daar echter heel wat minder zeker van. 'Ik help het je hopen. Een uit elkaar vallende familie is een zware last, Joke. Denk daar niet te licht over. We zijn altijd een groot en naar mijn idee harmonieus gezin geweest. Anton gaat conflicten uit de weg. Peter gaat zijn eigen gang, en het is zijn geluk dat hij wat verder weg woont. Maar mijn kind en de kwestie van kerklidmaatschappen, dat zijn breekijzers die onze familie de komende tijd boven het hoofd hangen.' Betsie rilde. 'Ik denk niet dat ik ooit nog thuis wil wonen. Ik sta mijn kind niet af, hoe dan ook niet, en met mijn kind...' Ze aarzelde. 'Het klinkt hard, maar ik wil het mijn kind niet eens aandoen op te moeten groeien bij een grootvader die het alle dagen met een schuldige vinger na zal wijzen, omdat het volgens hem in zonde geboren is. Ze zeggen weleens dat een mens kracht naar kruis krijgt, maar nu ontdek ik dat dit waar is. Ik bemerk inderdaad een sterk gevoel vanbinnen, dat me de kracht geeft om op te komen voor het kind waar ik weliswaar niet om heb gevraagd en waar ik zelfs niet op heb gehoopt. Maar nu ik het zal krijgen, roept het ook vertedering in me op, verlangen om het te leren kennen. Het is heel bijzonder om te voelen dat je een kind onder je hart draagt, Joke.'

De ander keek haar onderzoekend aan. 'Je bent heel anders dan het doodsbange en in elkaar gedoken meisje dat ik een week geleden te zien kreeg.'

'Nu begin ik weer mezelf te worden. Ik stap uit mijn eigen schaduw. Ik ben mezelf geworden in deze paar dagen. Ik ga nooit meer naar huis terug, hoewel pa en ma dat het liefst zullen hebben, maar dan zonder het kind. Nee, ik ga zelfs niet terug omdat Mien het zo vreselijk vindt nu thuis te moeten helpen. Hoe alles ook verdergaat, ik weet dat ik op Peter kan vertrouwen en ik heb nu rust, al werk ik nog zo hard.'

'Je kunt ook op mij vertrouwen. Wil je me zo nu en dan schrijven, Betsie?'

'Dat zal ik zeker doen. En als Peter mij op komt zoeken, hoop ik dat je meekomt.'

'Graag.'

De brief van Betsie stelde hem zichtbaar gerust. 'Kennelijk voelt ze zich stukken beter.' Zijn gezicht kreeg niettemin een zorgelijke uitdrukking. 'Toch voel ik me aangeslagen, Joke. We hadden een fijn gezin thuis, dacht ik. Nu blijkt dat ineens een illusie te zijn geweest. Natuurlijk ben ik het met mijn ouders eens dat Betsie zichzelf nooit in de problemen had mogen brengen, maar ik ben niet zo hard in mijn oordeel als mijn vader. Nu de situatie niet meer veranderd kan worden, kom je niet verder met verwijten en machtsvertoon. Nu heeft Betsie toch in de eerste plaats onze steun nodig? Ik zal die wel geven, maar het doet me ongelooflijk veel verdriet dat ik moet vaststellen dat mijn ouders dat niet doen. De familie valt voor mijn ogen uit elkaar.'

'En dan kom jij ook nog eens met mij op de proppen.'

Hij rechtte zijn rug. 'Met jou is helemaal niets mis.'

'Ik ga naar een andere kerk.'

'Ja, en ook dat is een gegeven dat mijn vader zal moeten accepteren.'

'Of hij kijkt jou voortaan ook met de nek aan, net als hij met Betsie doet.'

'We hebben elf kinderen thuis,' peinsde hij met licht toegeknepen ogen. 'Er zullen er nog wel meer zijn die dingen gaan doen die hij veroordeelt, als de kleintjes opgroeien. Wat blijft er dan over van ons gezin? Dat gevoel, die onzekerheid, geeft me een gevoel van verlies.'

Ze knikte. 'Rouwverwerking, zo moet je dat zien. Weet je wel zeker dat je met mij door wilt gaan, Peter?' Ze keek hem onzeker aan. Het was zaterdag, aan het einde van de middag. Ze waren een uurtje geleden weer thuisgekomen en Peter en Joke zaten samen in de meisjesslaapkamer. Peter zou straks een boterham blijven eten. Eerst wilde hij vanavond nog gaan dansen, maar daar stond hun beider hoofd nu niet naar.

Binnen een kwartier klopte haar moeder op de deur. 'Ik kan jullie toch wel vertrouwen, daar?'

'Ma, we moeten bijpraten. Over Betsie, over ons, over zijn ouders en het verschil in kerken. Denkt u nu echt dat we meteen onder de dekens zullen kruipen om onszelf net zoveel narigheid op de hals te halen als Betsie heeft gedaan?' antwoordde Joke, voor haar doen erg onvriendelijk. Maar het irriteerde haar dat haar moeder hen kennelijk niet vertrouwde.

Voor het eerst sinds Peter haar kort geleden in de armen had gesloten, glimlachte hij. 'Ik kan bij wijze van spreken het ontstelde gezicht van je moeder dwars door de deur heen zien.'

'Het spijt me, ik had niet boos op haar mogen worden, ze bedoelt het goed. Wacht even.' Ze stond op, opende de deur en liep naar de keuken, waar haar moeder al bezig was het brood te snijden. 'Het spijt me, ma. Ik deed wat lelijk, maar u begrijpt toch wel dat wij veel uit te praten hebben en dat zowel Lies als Flip daar niets mee te maken hebben?'

'Natuurlijk wel, maar ik ben nogal geschrokken van zijn zus, en dat is toch ook te begrijpen?'

'Jullie kunnen ons vertrouwen,' antwoordde Joke nog voor ze naar de slaapkamer terugging.

Haar moeder knikte. 'Het is al goed.'

'We gaan na het eten een stuk wandelen,' stelde Peter voor. 'We hebben nog veel meer te bespreken en ik wil je ouders niet tegen ons in het harnas jagen.'

Ze knikte. Hij stond op van het bed waarop ze naast elkaar gezeten hadden. 'Laten we maar een poosje in de kamer gaan zitten.' Ze liepen langs de keuken. 'We gaan straks na het eten wandelen, mevrouw Van der Sluis. Ik wil niet dat u zich niet prettig voelt, omdat ik met Joke samen op haar slaapkamer zit.'

Ma bloosde, maar knikte toch. 'Ik heb dat liever, Peter.'
'We begrijpen het, maar we hebben veel te bespreken. Ook mijn ouders moeten weten dat ik weer toekomstplannen maak.'
Pa kwam weer boven. Hij was in de kelder bezig geweest om de fietsen schoon te maken en de slaapzakken op te bergen. De meeste spullen die ze hadden meegenomen, waren weer opgeborgen. De was zou maandag pas aan bod komen.
Vanmiddag, meteen na het warme eten om twaalf uur, waren ze uit Numansdorp weggereden. Een uurtje fietsen naar de pont bij Goidschalxoord, overvaren over de Oude Maas, weer een uurtje fietsen naar Rotterdam-Zuid voor ze thuis waren. Bijna thuis was Joke bij Peter langs gegaan om te zeggen dat ze er weer waren, en binnen drie kwartier was hij naar hen toe gekomen. Nu gingen ze bij de anderen in de kamer zitten. Joke dekte de tafel. Lies moest in de keuken de nieuwe frituurpan in de gaten houden, omdat moeder voor hen allemaal een kroket bakte, zodat ze na de inspannende fietstocht toch een lekker warm hapje bij het avondbrood hadden. Ondertussen zeurde ze voor de honderdste keer over de hoelahoep die ze zo graag wilde hebben. Al haar vriendinnen hadden er ook een. Het gerucht ging dat je er een slanke taille van kreeg, en daar had Lies wel oren naar.
Niet veel later schoven ze aan tafel. Lies en Flip voerden het hoogste woord. Flip verheugde zich erop dat zijn vader had beloofd dat hij volgende week een dagje mee mocht varen op de politieboot.
De rivierpolitie van Rotterdam was altijd druk met controles van binnenkomende schepen. Daarnaast waren er ongevallen in de haven waar ze bij geroepen werden, soms moesten er dronken zeelui van boord gehaald worden. Zo nu en dan mochten gezinsleden van de dienstdoende agenten meevaren. Daar deed niemand moeilijk over, als ze maar niet in de weg liepen. En als er zich

onverwacht een ernstige kwestie aandiende, werden ze naar het bureau teruggebracht. De grote Rotterdamse haven had verschillende politieboten voor dit patrouillewerk. Flip voerde aan tafel het hoogste woord hierover, zodat het niet opviel dat Joke en Peter nogal stil waren. Nadat Joke met Lies de afwas had gedaan en ma voor koffie had gezorgd, gingen de twee jonge mensen naar het inmiddels vertrouwd geworden bankje in het park. Peter keek Joke onderzoekend aan toen ze daar eenmaal zaten. 'Lieverd, ik wil ervoor gaan, voor jou en mij. Als je nog twijfels hebt, moet je dat nu zeggen.'

Ze leunde tegen hem aan. Zijn arm kroop om haar schouders. 'Die heb ik niet,' antwoordde ze rustig.

'Dan is het goed. Dan gaan we volgende week zaterdag naar mijn ouders toe. Ik ga er morgen heen om hen de brief van Betsie te geven en ook om te vertellen wat ik daar vorige week heb gezien. Hopelijk, heel misschien, zijn zijn pa en moe inmiddels ook wat milder geworden naar Betsie toe, maar daar durf ik mijn hand zeker niet voor in het vuur te steken.'

'Weet je eigenlijk wel wat je moeder er in haar hart van vindt? Of staat ze slechts achter het harde oordeel van je vader, omdat dit van haar nu eenmaal wordt verwacht?'

'Je weet hoe de generatie van onze ouders denkt. De man is het hoofd van het gezin en de vrouw is hem gehoorzaamheid verschuldigd. Als mijn moeder er al anders over denkt, zal ze dat zeker niet rechtstreeks laten blijken, maar zal ze in de komende weken proberen mijn vader te bewerken met schijnbaar terloopse opmerkingen of met veel zuchten en verdrietige blikken in de ogen. Veel mannen,' hij glimlachte onverwacht, 'doen precies wat hun vrouwen willen. Niet omdat ze dat zeggen, maar omdat die precies weten hoe ze hun kerel moeten bewerken om toch hun zin te krijgen.'

Joke moest om zijn woorden lachen. 'Je slaat de spijker op zijn kop. Bij ons thuis is het precies zo. Mijn vader denkt dat hij de baas in huis is, en ondertussen doet hij precies wat mijn moeder wil dat hij doet. Maar bij onze buren is dat anders. Daar is buurman werkelijk de baas in huis en als buurvrouw niet luistert, schroomt hij niet om haar een tik te verkopen.'

Peter schudde het hoofd. 'Gelukkig zijn zulke mannen als het erop aankomt toch in de minderheid. Wel, als wij het samen eens zijn, Joke, dan gaan we ervoor. Jouw ouders hebben er geen problemen mee dat we verkering hebben, zelfs niet nu ze weten wat er met Betsie aan de hand is. Sterker nog, je familie helpt haar, waar die van mij dat af laat weten. Mijn ouders zijn een hardere noot om te kraken, maar dat verandert niets aan mijn plannen. Goed?'

Ze knikte. Hij trok haar dicht tegen zich aan en er volgde een lange, intieme zoen. 'Begrijp je nu hoe groot de verleiding soms kan zijn?' vroeg hij met diepe stem en ze kon de opgelaaide hartstocht erin proeven. 'We zullen nog een jaar of twee moeten sparen, Joke, schat ik in, voor we kunnen trouwen. Maar ik zal bij mijn werkgever nogmaals laten weten dat ik zo snel mogelijk voor een huis in aanmerking wil komen. Ze zullen bemiddelen, maar er is zoveel woningnood dat het toegewezen krijgen van een eigen flat wel een flinke tijd in beslag zal nemen. Wat zou je ervan zeggen als we plannen maken om ons over een poosje te verloven?' Hij hield haar een beetje van zich af en keek haar diep in de ogen.

'Korenbloemblauwe ogen,' grinnikte hij ineens. 'Volgens mij ben ik daar meteen op verliefd geworden.'

'Weet je nog dat boeket, vorige week? Met korenbloemen erin? Ik heb twee korenbloemen in mijn bijbeltje gedaan om te laten drogen.'

Hij trok haar weer dicht tegen zich aan. 'Het wachten zal me zwaar vallen, maar ik beloof je, mijn lief, de dag komt dat ik jou als mijn vrouw over de drempel van ons huis zal dragen.'

Ze twijfelde er geen seconde aan.

158

HOOFDSTUK 15

De volgende vrijdag kwam er een nieuwe brief van Betsie, ditmaal geadresseerd aan Joke en haar hele familie.

Lieve allemaal,

Jullie hebben er geen idee van hoe dankbaar ik nog elke dag ben dat ik hier mag zijn. Ja, het is soms zwaar, daarin zal ik eerlijk zijn. Schilles zelf is veel weg, maar ligt ook vaak in bed om zijn roes uit te slapen. Zijn vrouw mag ik nu tante Alie noemen en ze mocht gisteren voor het eerst een paar minuten uit bed, om heel voorzichtig wat rond te lopen in de woonkeuken. Ik help haar met wassen en verzorgen, dus komt de wijkzuster niet langer. Tine is een groter probleem. Ik had een paar dagen geleden zo'n medelijden met haar, omdat ze altijd opgesloten zit of vastgebonden. Pieter voert haar, ze kan nauwelijks zelf eten, zelfs niet al maakt hij een van haar handen los. Vaak gooit ze dan met haar eten en moet ze daar hartelijk om lachen. Afgelopen dinsdag zat ze echter vreselijk te huilen en te mompelen: au, au. Toen heb ik haar op een gegeven moment toch maar losgemaakt, omdat ik zo'n medelijden met haar had. Binnen tien minuten viel ze me echter aan. Gelukkig hoorde Pieter het kabaal en kwam hij me redden.

Hij kon echter niet voorkomen dat ze een asbak en een klein tafeltje kapot gooide. Daarna hebben we een diepgaand gesprek gehad over zijn zusje, over de kracht die ze heeft nu ze langzamerhand volwassen wordt, en de zware last die dit voor hun moeder betekent. Tante Alie wil de raad van dominee graag opvolgen en haar in een tehuis op laten nemen, waar ze andere mensen ziet, vaker los kan zijn en goed verzorgd wordt. Schilles zelf wil daar echter niets van weten, maar doet tegelijkertijd niets om de last die op de schouders van de anderen rust, te helpen verlichten.

Ik ben vorige week met de familie mee naar de kerk geweest. Laat pa het maar niet horen! Maar eigenlijk merk ik niet veel verschil, behalve dan dat de preek korter was dan bij ons en dat er in die kerk ook gezangen gezongen worden. De psalmen zingen ze daar niet zoals bij ons op hele noten, maar vlotter, en daar moest ik erg aan wennen. Maar verder leek het allemaal op elkaar. Waarom maken mensen toch zoveel ruzie als het om hun kerk gaat?

Ik heb van je tante Lijnie een lap stof gekregen, Joke, die ze op de markt voor een prikkie op de kop heeft getikt. We maken daar samen een positieovergooier van. Daar kan ik dan mijn twee blouses om beurten onder dragen, zo zie ik er toch niet altijd hetzelfde uit. De zwangerschap geeft verder geen problemen. Ik ben niet langer misselijk in de ochtenduren en van Pieter mag ik niet zwaar tillen. Dan moet ik hem roepen en komt hij me helpen. Die arme jongen werkt zich werkelijk drie slagen in de rondte.

Lieve Joke, ben je al met Peter bij pa en moe geweest? Als je ze ziet, wil je me dan laten weten hoe ze je ontvingen?

Liefs, nogmaals duizendmaal dank voor alles wat jullie voor mij hebben gedaan en ik hoop dat je gelukkig wordt met mijn broer. Betsie.

PS laat de brief maar rustig aan iedereen lezen, dan weten ze ook dat het goed met me gaat.

Joke liet daarom even later de brief aan haar moeder lezen. 'Ik maak me ongerust om die passage over Tine,' verzuchtte het meisje toen haar moeder die daadwerkelijk gelezen had. 'Zou ik naar Peter moeten gaan om hem de brief te laten lezen?'

'Waarschijnlijk heeft ze hem ook een brief gestuurd waar ongeveer hetzelfde in staat. En morgen zie je hem immers weer?'

Ze knikte. 'Morgenmiddag gaan we samen naar Zwijndrecht. Als het net zo waait en regent als vandaag, zullen we wel met de tram en de trein gaan.' Dat deden haar ouders meestal ook en zijzelf in de winter eveneens. Ze zou morgen haar zondagse jurk aantrekken om een goede indruk te maken, maar ze zag er best tegen op om als het meisje van Peter daar over de vloer te komen. Dat was toch heel anders dan eerst.

Die nacht sliep ze onrustig en werd ze keer op keer wakker uit onrustige dromen, om de volgende morgen tamelijk geradbraakt naar het atelier te gaan. De eerste opdrachten voor het herfstseizoen waren binnen en ze hadden daar meer dan genoeg werk. Toen haar werd gevraagd of ze die middag over zou willen werken, moest ze haar hoofd schudden. 'Ik heb verkering en vanmiddag worden we voor het eerst als stel bij zijn ouders verwacht,' vertelde ze eerlijk aan juffrouw Clemens. 'Maar als het druk is, wil ik de komende week 's avonds wel steeds een of twee uur langer doorwerken.'

Door die woorden knikte de cheffin voor haar doen redelijk welwillend. Niettemin was Joke blij toen het één uur geworden was en ze naar huis kon gaan. Thuis at ze het prakje op dat haar moeder voor haar warm had gehouden op het laaggedraaide petroleumstel en toen kleedde ze zich om in haar beste jurk. Daar was ze nog mee bezig toen er werd gebeld en Peter even later boven kwam. 'Ik ben zo klaar,' riep ze door de dichte slaapkamerdeur. Nog even denkend aan Rosie deed ook zij een vleugje roze lippenstift op, een beetje poeder op de wangen, niet te veel zodat zijn vader zou denken dat ze een verderfelijke vrouw was omdat ze haar gezicht verfde, maar net zo dat ze er fris en verzorgd uitzag.

Peter gaf haar een zoen en keek haar goedkeurend aan. 'Ik heb een auto gehuurd. Je moeder wil met Lies en Flip meerijden, je vader moet straks gaan werken omdat hij avonddienst heeft. We leveren ze eerst bij je opa en oma af, dan doen we die mensen ook een plezier.'

'Tjonge, doe maar duur. Een auto huren! Wat kost dat wel niet?'

Hij moest lachen. 'Te veel, dat ben ik met je eens, vooral omdat we moeten sparen. Maar Joke, ik werk nu bijna twee maanden bij mijn baas, ze zijn uitermate tevreden en ik heb een vaste aanstelling gekregen. Bovendien is me voor volgend jaar een promotie in het vooruitzicht gesteld, als ze zo tevreden over mij blijven. En het is zulk snertweer! Anders komen we helemaal verwaaid en nat aan bij mijn ouders, want het is van het station in Zwijndrecht zeker een halfuur lopen naar de tuinderij.'

'Ik heb een brief van Betsie gehad,' vertelde ze daarna. 'Ik heb hem in mijn tas zitten, want ik had je de brief in de trein willen laten lezen.'

'Ik heb er ook een gehad, en die laat ik straks aan mijn ouders lezen. Doen we dat met jouw brief ook?'

'Beter van niet, want er staat ook in dat ze met de familie Schilles en mijn oom en tante naar de kerk is geweest. Dat wil je vader vast niet lezen.'

Hij moest lachen. 'Kom, we gaan.'

Eigenlijk was het heel comfortabel, zo'n auto. Het bleek dat Peter in zijn diensttijd een rijbewijs had gehaald, daar had hij nu veel plezier van. Ma Van der Sluis zat voorin en voelde zich als een prinses, want mensen uit hun kringen zaten zelden in auto's, laat staan dat je er zelf een had. Zoals de meeste mannen droomde haar vader ervan ooit een eigen auto te bezitten, maar dat was slechts voor rijke mensen weggelegd, niet voor een eenvoudige politieagent. Ze moesten lachen om wat Peter vertelde. Twee jaar geleden was er een speciale weg aangelegd, alleen voor auto's. Een autosnelweg, tussen Amsterdam en Utrecht. Stel je voor, er mocht helemaal geen ander verkeer op die weg komen! En vorig jaar was er iets gebeurd waar niemand ooit eerder van had gehoord. Toen stonden zoveel auto's op dezelfde weg, dat niemand meer vooruit kwam. Een file heette dat!

De rit duurde niet langer dan een halfuurtje. Opa en oma waren blij verrast en diep onder de indruk. Grinnikend beloofde Peter dat hij hen straks mee zou nemen om heel Zwijndrecht rond te rijden, want opa had nog nooit in een auto gezeten en oma slechts toen ze met de ziekenwagen naar het ziekenhuis was gebracht en later nog een keer, toen ze met kruidenier Leerdam weer thuis was gekomen.

Daarna reden ze door en Joke merkte dat de zenuwen haar in de greep kregen. 'Ze weten dat jij komt, maar weten ze ook dat ik mee kom?'

'Ik heb ze een briefje geschreven dat wij elkaar gevonden hebben, dat ik hoop dat we samen welkom zijn en dat we hopen de zegen van hen beiden te krijgen. Dus ze weten het, Joke. Je hoeft niet zenuwachtig te zijn.'

'Dat ben ik wel,' moest ze bekennen.

Hij keek een tikje geamuseerd. 'Als ik eerlijk ben, ikzelf ook.' Niet veel later stopte hij voor de boerderij. Ze stapten uit. Hij nam haar met de hand bij de elleboog vast, om uit te drukken dat ze niet langer slechts de vriendin van zijn zus was, maar dat ze een stelletje waren. Binnen schudde ze verlegen de handen van zijn ouders. Jos grinnikte nogal schaapachtig, maar keek zichtbaar jaloers. Anton en zijn vrouw waren er en tot haar schrik zat zelfs Rosie met een donker gezicht in de propvolle kamer.

Ze wist even niet goed wat ze moest doen, stak de ander toen de hand toe en knikte slechts verlegen zonder iets te zeggen.

De sfeer was afstandelijk, stelde ze vast. Ze voelde een zekere spanning in de kamer. Er werd thee ingeschonken, er werden chocolaatjes rondgedeeld, de jongste kinderen verdwenen al snel weer om in de schuur te spelen. Jos mompelde nog iets over wandelen met de hond. De kamer werd leger. Eindelijk kwam Rosie naast Joke zitten en deze keek haar onzeker aan. 'Ik hoop dat je het niet erg vindt,' hakkelde Joke ongemakkelijk.

'Ik vind het wel erg, heel erg zelfs. Maar daarmee verander ik niets aan het feit. Je zult wel flink achter hem aan gezeten hebben, hoewel hij met mij verloofd was en er vaste afspraken waren over hoe wij onze toekomst samen zouden delen.'

Peter kwam achter hen staan. 'Dat is niet aardig van je, Rosie. Je weet best dat verliefdheid niet een overheersende rol speelde bij het tot stand komen van onze verkering. Zeker mijnerzijds ging het voornamelijk over verwachtingen van onze ouders en een zekere gemakzucht om daaraan toe te geven.'

'Bij mij is dat gaandeweg anders geworden,' beet ze hem toe. 'Ik ben er nog steeds boos over dat je me zomaar aan de kant hebt geschoven omdat zij achter je aan zat.'

'Ze zat niet achter me aan op de manier die jij bedoelt. We leerden elkaar kennen en beseften al snel dat we goed bij elkaar passen. Kom, accepteer het of ga weg, maar maak Joke niet verdrietig met dit soort opmerkingen. Weliswaar ben je vooral bevriend met Anton en zijn vrouw, maar je maakt geen deel meer uit van deze familie.'

'Nee, wrijf dat er nog maar eens duidelijk in!' Ze stond op en keek hem vernietigend aan. 'Ik wil je al niet eens meer.'

Rosie beende de kamer uit, maar Joke zag dat ze een traan moest verbijten. Ze kreeg een kleur van verlegenheid. Anton en zijn vrouw stapten haastig op om achter Rosie aan te gaan, maar niet nadat ze haar hadden laten weten dat haar niets kwalijk genomen werd en dat het jammer was dat Rosie uitgerekend vandaag langsgekomen was.

Het werd stiller in huis. Mevrouw Boerlage keek Joke onderzoekend aan. 'Jullie waren het snel eens,' begon ze voorzichtig.

Peter had zijn broer en schoonzus uitgezwaaid en kwam weer binnen. Hij ging dicht naast Joke zitten. 'Wat mij betreft was het liefde op het eerste gezicht, moe,' bekende hij met een glimlach.

Zijn moeder schokschouderde. 'Liefde is nogal vluchtig, jongen. Handelen uit gezond verstand is op de lange duur bijna altijd beter. Rosie zou goed bij je gepast hebben.'

Hij keek zijn moeder ernstig aan. 'Maar ik houd van Joke en met haar ga ik mijn toekomst delen.'

De vraag die beiden aldoor hadden gevreesd, kwam niet veel later. 'Wij zullen toch toestemming moeten geven als het tot een huwelijk komt, of je moet een behoorlijke tijd wachten tot die niet meer nodig is. Vertel me eens, Joke, ga je voortaan naar onze kerk?'

Even was ze verbijsterd door zijn directheid. 'Peter en ik hadden zo gedacht dat we voorlopig samen naar de kerk gaan, ik de ene week met hem mee en hij de andere week met mij mee. Dan leren we elkaars kerk een beetje kennen.'

'Daar komt toch zeker niets van in!' Er werd met een gebalde vuist op tafel geslagen en daarmee was de aangename sfeer van even tevoren letterlijk met een klap verdwenen. 'Je moet je bekeren, laat dat duidelijk zijn.'

'Toe pa, moet dit nu? Ik wilde juist over Betsie praten.'

'Mijn goddeloze kinderen, die niet naar hun vader luisteren, hoewel de Bijbel er zo de nadruk op legt dat vader en moeder geëerd moeten worden!'

Mevrouw Boerlage kneep haar handen samen in haar schoot, zag Joke uit haar ooghoeken. De oudere vrouw kneep ook haar lippen samen, maar ze zei niets, zoals Peter al had voorspeld dat ze niet tegen de mening van haar man in zou gaan, zelfs al zou ze het er niet mee eens zijn.

'Betsie maakt het goed, mevrouw Boerlage. Ze doet nuttig werk voor een gezin in nood en ze slaapt bij mijn oom en tante, die op haar passen. U hoeft zich over haar niet ongerust te maken.'

'Dat neemt niet weg dat ze het rechte, smalle pad verla-

165

ten heeft en de weg van de verleiding en de zonde is ingeslagen.' De stem van vader Boerlage klonk nu bijna even gedragen als een dominee dat op zondag van de kansel kon doen, dacht Joke verbijsterd. Ze zweeg weer en keek vragend naar Peter. 'Het is jammer dat u de geloofskwestie nu al meteen op de spits drijft, vader, maar u moet niet vergeten dat ik een volwassen kerel ben, dat ik mijn eigen overtuiging volg en mijn eigen beslissingen neem. Zoals Joke al zei, we gaan voortaan om beurten met elkaar mee naar de kerk, als we op zondag allebei in Rotterdam zijn. Wat mij betreft hoeft geen van ons op korte termijn van kerk te veranderen, al lijkt het ons beiden wel verstandig daarin een beslissing te nemen als we ooit getrouwd zijn en hopelijk kinderen mogen krijgen. Voor kleine kinderen kan het erg verwarrend zijn om de kerk van papa en de kerk van mama uit elkaar te moeten houden. Ik ben in het geloof van onze kerk opgevoed, en Joke in dat van haar. We zullen in de tijd die voor ons ligt de verschillen tussen beide kerken duidelijker zien, met elkaar bespreken en pas dan samen een beslissing nemen, maar die nemen we niet omdat die van bovenaf wordt opgelegd.' 'Ik eis van je, Joke, dat je onze kerk erkent als beter dan die van jullie.'

Ze had graag willen vragen of hij weleens in een andere kerk was geweest, of hij weleens geluisterd had naar mensen, als ze vertelden waarom ze lid waren van een bepaalde kerk, maar ze durfde niet en het zou niet verstandig zijn ook. Dat wist ze best. Ze keek bedrukt naar Peter, maar die had zichtbaar zijn rug gerecht. 'Pa, ik weet dat de geloofskwestie heel zwaar voor u weegt, maar Joke en ik, wij houden van elkaar en we gaan samen verder, hopelijk met jullie goedkeuring. Maar zo niet, dan wachten we met trouwen tot uw toestemming niet langer nodig is. Maar liever niet. Bedenk dat Joke niet zonder meer onze kerk afwijst, maar nu wel een slechte indruk krijgt van een star geloof, enkel gericht

166

op het eigen gelijk.'
'Je moest je schamen er zo over te denken,' brieste zijn vader, zichtbaar kwaad. 'Zo heb ik je niet opgevoed, zoon.'
'U heeft ons opgevoed in de vreze des Heren, zoals u dat noemt. Dat was uw goed recht. Maar de opvatting dat alleen mensen van onze kerk toegang zullen krijgen tot het koninkrijk der hemelen en dat alle anderen gedoemd zijn om voor eeuwig in de hel te branden, dat kan ik persoonlijk niet zonder meer onderschrijven. Het is jammer dat dit conflict vandaag al meteen tussen ons in komt te staan, maar ik wilde niets stiekem doen. Dus ik vertel er maar meteen bij dat ik voor Betsie zo nodig de bevallingskosten zelf zal betalen, zodat ze haar kind ergens kan krijgen waar er goed voor haar gezorgd wordt en niet in een instelling waar ze verplicht is haar kind af te staan. Wat er gebeurd is, praat ook ik niet goed, maar ik kan het niet met mijn geweten in overeenstemming brengen haar daarom maar keihard aan haar lot over te laten. Als het kind er is, zal ze zelf haar weg in het leven moeten zoeken, maar fouten of niet, ze blijft mijn zus. Ook u en ik zullen weleens iets fout doen in ons leven. Dan hopen we eveneens op vergeving. Moe, het gaat Betsie nu naar omstandigheden goed. Ze heeft me geschreven, ik zal haar zo nu en dan opzoeken, ook al omdat ze bij familie van Joke is. En verder…' Hij keek zijn vader recht in de ogen. 'U moet maar zeggen of Joke en ik samen nog langer hier welkom zijn of juist niet.'
'Daar moet ik nog eens over nadenken,' antwoordde de oudere man met een blik in de ogen die Joke allesbehalve geruststelde. Ze bloosde van verlegenheid en zag toen hoe onrustig mevrouw Boerlage met haar handen aan haar kleren plukte. Ineens overheerste het medelijden met de andere vrouw haar eigen geschrokken gedachten.
'Mevrouw Boerlage, wij zullen op Betsie letten, en als u haar een keer wilt zien, kunt u Peter schrijven om een

keer mee te gaan. Ik weet zeker dat Betsie daar erg gelukkig mee zou zijn. Ze mist u.'
Weer die vuist op tafel. Geschrokken hield ze haar mond. 'Bemoei je niet met onze zaken,' kreeg ze kortaf te horen. Ditmaal was het Peter die opstond. 'Het is jammer dat een gelegenheid die voor mij zo feestelijk was, zo moet aflopen,' verzuchtte hij. 'En niet omdat Joke niet deugt, maar enkel en alleen omdat ze is opgevoed in een andere kerk dan ik. Pa, ik hoop dat u er nog eens over na wilt denken en dan alsnog bereid bent om Joke en mij samen nog een keer welkom te heten. Maar voor vandaag is het beter om het hier bij te laten.'
Bedrukt stonden ze even later buiten. De broertjes en zusjes dromden om hen heen. 'Neem hen even mee voor een ritje in de auto,' knikte Joke.
'Vooruit dan maar,' gaf hij toe, al kon ze aan zijn gezicht zien dat zijn hoofd helemaal niet naar die drukte stond. Ze keek de auto na en schrok op toen zijn moeder ineens naast haar stond, zij het dat ze schichtig achterom over haar schouder keek. 'Mijn man is geen kwade man, Joke, werkelijk niet. Hij is alleen erg strikt in zijn geloof. Zo was zijn eigen vader ook en die heeft zijn leven lang geleden onder onenigheid met sommige van zijn kinderen. Laat het maar betijen. Ik zal proberen hem wat milder te laten denken.'
'Over ons en ook over Betsie?'
'Of dat laatste zal lukken, weet ik niet. Maar ik mis mijn kind.'
'Betsie heeft erg onder de verwijten geleden.' Ze durfde niet te zeggen dat ze het nu veel beter naar de zin had dan thuis, met alle verwijten. Wat kon ze Betsie nu goed begrijpen! 'Misschien kunt u zonder uw man een keer met Peter mee gaan?'
'Dat vindt hij niet goed, meisje.' Het klonk erg triest.
'Wel, dan bid ik elke dag dat er meer begrip komt,' zuchtte Joke. Ze voelde zich opgelucht toen de wagen vol joe-

lende kinderen weer de bocht om kwam. Lachend rolde de hele bende eruit. Mevrouw Boerlage liet niets meer blijken van de gevoelens die ze even tevoren had geuit. 'Peter, je moeder heeft de brief van Betsie nog niet gelezen. Laat haar dat nog even doen.'

In het korte stukje van zijn ouderlijk huis naar dat van haar grootouders, korte tijd later, vertelde ze Peter wat zijn moeder had gezegd.

'Laten we hopen dat moe hem milder weet te stemmen, Joke. Maar ik herinner me mijn starre grootvader nog goed en ik moet eerlijk zeggen, dat belooft weinig goeds.'

HOOFDSTUK 16

Het gezicht van haar moeder stond een beetje bezorgd toen Peter en Joke niet veel later bij de oude mensen binnenkwamen, beiden nog aangeslagen door het verloop van de afgelopen middag. Maar oma knuffelde Joke hartelijk, zoals ze altijd deed, en ze sloot Peter eveneens in haar armen omdat ze van haar dochter al had gehoord dat die twee hun toekomst samen wilden delen.

Opa had alweer een paar weken last van dikke voeten en had pillen van de dokter gekregen, hoorden ze verder. De tabletten moesten ervoor zorgen dat hij vaker ging plassen en daarmee zou het overtollige vocht in zijn lichaam, dat ontstond omdat zijn hart niet zo goed meer werkte, worden uitgeplast. Opa was ook snel kortademig. Hijzelf was er echter berustend onder en vertelde elke dag te danken dat hij nu voldoende geld kreeg, zodat hij op zijn oude dag niet meer hoefde te werken en dat ze elke dag brood op de plank hadden. Er was geen honger. Die hadden ze in de crisisjaren en ook in de oorlog genoeg gekend. Het kwam tegenwoordig niet meer voor dat ze met een lege maag naar bed moesten gaan om de eenvoudige reden dat er geen eten was of geen geld om dat te kopen. Ze letten goed op hoe ze hun geld uitgaven, ook om ervoor te zorgen dat oma's suiker niet opnieuw ontregeld raakte. Ondanks dat hij oud en ziek was, hield opa vol, had hij de beste tijd van zijn leven. Ze hoefden niet eens hun hand op te houden bij hun kinderen, en dat was voor heel veel mensen een groot goed, want een dergelijke afhankelijkheid leidde tot vorig jaar bij veel oude mensen tot grote problemen, omdat hun kinderen te weinig ondersteuning gaven en soms helemaal niet, ook al waren ze er wettelijk toe verplicht op te brengen voor hun ouders.

Ze aten er een boterham mee, voor Peter opstond en opa vroeg of hij een ritje in de auto wilde maken. Toen de twee mannen terugkwamen en opa glunderend uitstapte, stonden de ogen van Peter ernstig. Niet veel later reden ze weg, uitgezwaaid door de twee oudjes. 'Ik ben blij dat ze beiden weer redelijk gezond zijn,' opperde ma Van der Sluis nog voor ze goed en wel de straat uit waren gereden. 'Ik heb me dit voorjaar veel zorgen over hen gemaakt. Stel, dat ze echt gaan tobben. Ik ben niet in de gelegenheid ze in huis te nemen om voor ze te zorgen en je vader vindt het nooit goed als ik langere tijd bij hen intrek, wat zou betekenen dat hij voor zichzelf moet zorgen. De eerste taak van een huisvrouw ligt toch bij het verzorgen van haar man en gezin, zegt hij altijd.'

'Ze bouwen tegenwoordig tehuizen voor oude mensen waar ze kunnen wonen en te eten krijgen en waar ze bovendien elke maand een zakcentje over mogen houden, om onkosten voor zichzelf mee te betalen. Dat is voor veel oude mensen een oplossing. Er zijn echtparen die nooit kinderen hebben gekregen, er zijn anderen die na een lang huwelijk alleen achter zijn gebleven, en velen willen hun kinderen niet tot last zijn als ze gebrekkig zijn geworden. Dat lijkt me werkelijk een goede oplossing,' peinsde Peter terwijl hij behendig de auto het dorp uit stuurde en de weg naar Rotterdam in sloeg.

Ma knikte. 'Elke kerk wil nu zijn eigen tehuis.'

'Dan zijn we weer terug bij vanmiddag,' ontsnapte hem met een zucht. 'Mijn vader zette alles meteen al onder druk door zo ongeveer van Joke te eisen dat ze overgaat naar onze kerk. Denkt u daar net zo streng over, mevrouw Van der Sluis?'

'Nee, en mijn man ook niet. We vinden het geloof een kwestie van de persoon zelf en vooral van het hart, niet van iets dat van buiten opgelegd kan worden, maar jullie hebben wel gelijk dat jullie in de toekomst een keuze moeten maken als er kinderen komen, zodat die zich niet af hoeven vragen of ze mee moeten naar de ene kerk of naar de andere.'

171

'Dat is waar, en we zullen daarin zelf onze keus moeten maken.'

'Je vader maakt voor mij met zijn starheid de keus wel moeilijker,' bekende Joke vanaf de achterbank. 'Ik voel gewoon weerzin tegen een kerk die zo dwingend is, en dat maakt een eventuele overgang alleen maar onwaarschijnlijker.'

'Ik ben me daarvan bewust. Zeg, iets heel anders, want dit is een probleem dat zich niet op korte termijn op laat lossen. Weet je wat me verder erg verbaasde? Je opa vertelde me dat hij al meer dan tien jaar niet meer bij zijn zoon op de boerderij is geweest, want de reis is omslachtig, duur en vooral vermoeiend. Dat is toch vreselijk?'

'Aad en Lijnie zoeken de oude mensen geregeld op, elke twee of drie maanden,' liet de oudere vrouw die naast hem zat weten. 'Het is nu eenmaal niet anders. Als mijn ouders mijn broer op willen zoeken, moeten ze eerst naar Rotterdam, daar moeten ze overstappen en dan met de stoomtram weer helemaal naar de Hoeksche Waard rijden, door een groot aantal dorpen. Dat is een lange reis. Het is te vermoeiend voor hen geworden en bezwaarlijk vanwege de wijkzuster die de insuline moet spuiten. Dat moet altijd op vaste tijden gebeuren en kan niet worden overgeslagen.'

Peter knikte begrijpend. 'Ik begin steeds meer te beseffen dat een vervoermiddel als deze auto feitelijk onmisbaar is. Ik huur binnenkort nog een keer een auto, Joke. Dan halen we die twee op als de wijkzuster net 's morgens is geweest, nemen ze mee naar hun zoon en brengen ze later weer op tijd terug voor de avondprik.'

'Weet je wel wat dergelijke uitspattingen allemaal kosten?'

Hij moest glimlachen. 'Ik weet het. Maar het is me het wel waard. Ja, lieverd, dat sparen van ons gaat al met al minder snel dan ik had gehoopt. Betsie, dit soort uitstapjes, het kost allemaal geld, maar ze voegen wel veel toe aan de kwaliteit van het leven. Ik doe het niet alleen voor mezelf, maar juist voor anderen.'

'Eigenlijk ben je een schat,' gaf ze vanaf de achterbank toe. 'Je denkt inderdaad meer om anderen dan om jezelf en ik moet zeggen dat ik dat een zeer aantrekkelijke eigenschap van je vind.' Hij keek in de achteruitkijkspiegel en hun ogen vonden elkaar. Ineens en ondanks de zware momenten die ze in het huis van zijn ouders had gekend, voelde Joke zich mateloos gelukkig.

Twee maanden waren er intussen weer voorbijgegaan en langzamerhand hadden mooie zomerdagen plaatsgemaakt voor grauw herfstweer met veel wind en regen.
Ondanks dat ze goed op haar eten lette, was oma opnieuw onwel geworden en moest ze opnieuw worden opgenomen in het ziekenhuis om haar suikergehalte te laten regelen op een goed niveau. Mevrouw Van der Sluis had aarzelend aan Joke gevraagd of ze nogmaals vrij durfde te vragen van het atelier en met lood in haar schoenen had ze met mijnheer gesproken. Deze was er duidelijk niet blij mee, maar het was een geluk dat het de meeste bedrijven erg voor de wind ging. Overal was meer personeel nodig en als personeel schaars was, was dat moeilijk te verkrijgen. Schoorvoetend had Joke daarom voor de tweede keer onbetaald verlof gekregen, als ze maar probeerde zo snel mogelijk weer terug te komen. Als haar grootmoeder na twee weken nog niet beter was, moest Lies maar voor hen gaan zorgen, zodat zij weer kon komen werken. Maar Lies had het reuze naar haar zin in haar kantoorbaan en was niet van plan het risico te lopen daar ontslagen te worden omdat ze te vaak verstek moest laten gaan.
Met enige tegenzin vertrok Joke daarom voor de tweede keer voor langere tijd naar Zwijndrecht, om voor haar grootvader te zorgen en om haar grootmoeder elke middag op te zoeken in het ziekenhuis, nu opa niet in staat was zo ver te lopen, naar Dordrecht de brug over, naar het

ziekenhuis en dan de hele weg weer terug. De busverbinding was omslachtig en eveneens te vermoeiend voor hem.

Joke was ook bang voor een onverwachte ontmoeting met iemand van de familie Boerlage. Sinds hun eerste bezoek als stelletje daar, waren Peter en zij er niet meer samen heen geweest. Peter ging nog wel zo nu en dan alleen, ongeveer om de drie weken, op zaterdagmiddag bij zijn ouders langs. Dat was veel minder dan eerst.

Deze keer bracht Peter haar weg naar de trein. Nu het weer slechter werd, ging ze niet meer op de fiets zoals ze in het afgelopen voorjaar had gedaan. Ze moesten hun plannen halsoverkop omgooien, want ze zouden die dag eigenlijk samen naar Numansdorp gaan om Betsie op te zoeken. Nu zou Peter daar alleen heen gaan. Het betekende dat ze elkaar tot het volgende weekeinde niet zouden zien. Als hij dan zijn ouders opzocht, kwam hij ook een poosje naar het huis van opa en oma. 'Het zal me zwaar vallen dat je zo ver weg bent,' gaf hij eerlijk toe toen ze afscheid namen.

'Mij ook, maar opa kan niet aan zijn lot worden overgelaten.'

Hij knikte. 'Dat weet ik ook wel, maar ik zal je missen, lieverd. Ik wou dat we een huis toegewezen kregen en voldoende geld hadden om al te kunnen trouwen. Ik zou je zo graag elke dag om me heen willen hebben.'

Ze kroop vertrouwelijk in zijn armen. 'Ja, dat zou ik ook wel willen, maar we hebben nu eenmaal geen huis en we moeten nog een hele tijd sparen voor we ons dat kunnen permitteren.'

Hij wiegde haar heen en weer. 'Mijn directe baas is ziek geworden, mogelijk is het ernstig. Ze denken dat hij tuberculose heeft, en als dat juist is, moet hij lange tijd in Zwitserland gaan kuren om te kunnen genezen. Mogelijk kan ik hem vervangen en zijn plaats innemen. Hij heeft een auto van de zaak en die zou ik dan misschien wel mogen gebruiken. Binnen een week of twee zal dat duidelijk worden. Er azen echter meer mannen op die promotie, en ik werk daar natuurlijk nog maar een paar maanden. Het zou veel dingen gemakkelijker maken als ik zodoende over eigen vervoer zou kunnen beschikken. Zijn functie brengt met zich mee dat hij veel onderweg is voor vergaderingen in andere steden. Je weet dat ik nu vaak met hem mee rijd.'

Ze keek naar hem op. 'Vroeger zag ik het belang van doorleren niet zo erg in, maar je hebt een goede opleiding genoten en nu begin ik er de voordelen van te beseffen, Peter. Een hogere baan betekent een mooier huis, luxe als een auto voor de deur, en eerlijk is eerlijk, als je niet beter weet mis je die dingen niet, maar als je er eenmaal mee in aanraking bent gekomen, went het erg snel. Apparaten in het huishouden als een wasmachine, een stofzuiger of misschien wel een koelkast geven veel comfort en maken het werk van een huisvrouw veel gemakkelijker. Ma wil ook sparen voor een koelkast, zoals steeds meer mensen tegenwoordig hebben, zodat eten niet langer in de kelder hoeft te worden bewaard. Mijn moeder moet veel trappen lopen omdat we driehoog wonen, dat begrijp je. En in de kelder is het in de winter ook vaak stoffig omdat daar de voorraad kolen eveneens wordt bewaard.'

'Heeft ze geen vliegenkast op het balkon hangen?'

Een vliegenkast had een net om ongedierte buiten te houden en er kon voedsel in bewaard worden zolang het buiten niet te warm was of in de winter juist niet vroor. Melk moest in de zomer bijvoorbeeld vaak koel worden gehouden in een emmer met water dat regelmatig werd ververst.

'Ik zal je ontzettend missen, Joke.'

Ze knikte. 'Ik was zo graag meegegaan naar Betsie. Ze schrijft zo monter, Peter, maar ik wil weten of ze dat inderdaad zo voelt.'

Hij knikte. 'Ik kom je zelf verslag doen, volgende week, en

dan zoek ik meteen pa en moe op. Misschien moet je dan een uurtje je kiezen op elkaar zetten en meegaan. Pa moet beseffen dat het ons ernst is en dat we ons niet laten ringeloren door zijn eisen omtrent kerken en zo.' Hij zuchtte ervan. 'Maar goed, het is niet anders. Je grootouders gaan momenteel voor. Als wij later oud zijn, stellen we het ook op prijs als kinderen of kleinkinderen zich nog om ons bekommeren.'

Ze zwaaide hem niet veel later na toen hij haar bij opa achterliet om voor deze keer toch weer alleen naar zijn ouders te gaan, voor hij de trein naar de stad terug zou nemen. Met een leeg gevoel ging ze naar binnen.

Het was drie weken later en een zware novemberstorm raasde over het land. Joke was weer aan het werk in het atelier, maar dat ze nu voor de tweede keer op stel en sprong vertrokken was, nadat ze ook nog eens haar vakantiedagen had opgenomen, maakte dat ze besefte dat zoiets niet nog eens kon gebeuren. Ze werkte niet langer met zoveel plezier in het atelier en dacht er soms over na om naar ander werk om te zien. Voor de zoveelste keer vond ze het jammer dat ze niet net als Lies naar de mulo had mogen gaan. Lies had daar een typediploma en een middenstandsdiploma gehaald, wat betekende dat ze daardoor een fijne kantoorbaan had gevonden. Ze dacht erover volgend jaar een verpleegstersopleiding te gaan volgen, voornamelijk omdat ze dan intern moest gaan wonen in het ziekenhuis en dus helemaal onafhankelijk zou worden van haar ouders, die ze toch wel als streng ervoer. Maar goed, Joke had nu eenmaal geen betere opleiding genoten. Peter benadrukte vaak dat er met haar leervermogen niets mis was en dat ze in de bibliotheek net zoveel boeken kon lenen als ze wilde, om zich door te lezen een betere algemene ontwikkeling eigen te maken. De interesse daarvoor had ze immers, met de boeken die ze graag las over geschiedenis en oude culturen? Had ze er overigens nooit over nagedacht zich te vestigen als zelf-standig naaister, en te leven van opdrachten die mensen haar gaven om japonnen te naaien? Ze had op het atelier inmiddels heel veel ervaring opgedaan, ze werkte er immers al een jaar of zes, al was dat in het begin maar een paar dagen in de week geweest, omdat ze toen ook twee dagen in de week naar de naaischool ging.

Als ze naaide in opdracht, zou ze minder welgestelde klan-ten krijgen dan de dames die hun japonnen in opdracht lieten maken in het atelier boven de deftige stoffenwinkel aan de Westersingel in de stad, maar ze verdiende er toch ook mee? Helaas kon het niet, wist ze. Ze zou dan een eigen naaimachine moeten kopen, niet een gewone zoals haar moeder had, maar een professionele, en bovendien zou ze dan een dure naaitafel nodig hebben. En trouwens, ruimte was er thuis ook niet. Nee, dat was geen haalbare droom. Ze kon hooguit proberen een baan te krijgen op een ander atelier, of misschien op het atelier van een def-tig warenhuis als de Bijenkorf, waar dames en heren hun gekochte kleding aan lieten passen, zoals japonnen of broeken die te lang waren, of als er een reparatie nodig was. Steeds meer mensen kochten immers confectiekle-ding, die kant en klaar in de winkel hing, in plaats van stoffen uit te kiezen in een deftige winkel als van haar baas, winkels waar dan samen met de cheffin van het ate-lier een patroon werd uitgezocht dat van die stof werd gemaakt, waar de dames nauwkeurig de maat voor werd genomen.

Peter was inmiddels inderdaad aangesteld om zijn zieke chef te vervangen toen duidelijk was geworden dat deze zeker vele maanden zou moeten kuren in de bergen, waar hij langdurig buiten moest liggen in de frisse buitenlucht om zijn ziekte te overwinnen. Zoals Peter had gehoopt, mocht hij tijdelijk gebruik maken van de auto die bij deze functie hoorde, omdat hij in de plaats van zijn zieke chef het hele land door moest rijden voor allerlei vergaderingen. In stilte was hij erg blij met de kansen die dat bood om zichzelf te bewijzen, al was het natuurlijk verdrietig dat hij deze kans slechts kreeg vanwege de ziekte van iemand anders.

Inmiddels had hij, zoals hij had beloofd, de oude mensen een dagje meegenomen naar de boerderij van hun zoon. Hij had geen betere manier kunnen bedenken om hun harten voor altijd te veroveren. Joke was nog een keer mee geweest naar zijn ouders, maar de sfeer was kil en terughoudend geweest en dat was pas verbeterd toen zijn vader en Jos het land in waren gegaan om verder te gaan met spruiten plukken. Toen was zijn moeder veel toegankelijker geworden. Aan haar zou het niet liggen om een goede verstandhouding met elkaar te krijgen, besefte Joke. Maar of zijn vader ooit toe zou geven? Ze zou het werkelijk niet weten.

Toen de storm was gaan liggen, die zaterdag halverwege de novembermaand, stelde Peter voor nog een keer samen naar Betsie te gaan. Inmiddels had Pieter hem laten weten dat Betsie via het ziekenfonds de bevallingskosten vergoed kreeg. Ze werd nu door een verloskundige in het dorp geregeld gecontroleerd. 'Volgens mij is die Pieter helemaal weg van mijn zus,' grinnikte Peter toen ze bijna bij haar oom en tante waren.

'Dat zou mooi zijn,' meende Joke.

'Vind je? Dan komt ze in een probleemgezin terecht, lieverd.'

'Mevrouw Schilles is weer aardig opgeknapt. De nood is daar niet meer zo hoog als toen Betsie er kwam. Het huis is schoon, Tine lijkt wel wat rustiger te zijn geworden nu ze vaak wordt gewassen en verschoond en Betsie zet haar vaker aan de lijn buiten. Ze heeft Tine een oude driewieler gegeven van de tweeling, daar fietst ze dan rondjes op en de inspanning lijkt ervoor te zorgen dat ze rustiger is als ze wordt vastgebonden of boven op zolder in de kamer is. Ze slaat en schreeuwt minder.'

Toen ze niet veel later een stralende Betsie omarmden, moest Joke lachen. 'Je ziet er bijna gelukkig uit,' stelde ze tot haar verbazing vast.

Betsie knikte. 'Pieter en ik zijn het eens geworden,' vertelde ze maar meteen.

'Maar…'

'Ja, zijn vader is de grote dwarsligger, maar tante Alie probeert hem over te halen om ons zijn toestemming te geven. Als wij in alle stilte trouwen voor het kind geboren wordt, staat Pieter automatisch te boek als de vader en hoeft het kind niet als onecht op te groeien. Ik ben hem zo dankbaar!'

Peter keek weifelend. 'Verwar dankbaarheid alsjeblieft niet met liefde. En denk erom, een huwelijk is voor altijd. Een scheiding is bijna een nog grotere schande dan het krijgen van een onecht kind.'

'Er is deze week bericht gekomen dat er een plekje vrij is voor Tine. Dominee heeft al twee keer met Schilles gesproken, en denkt dat hij over enkele dagen wel bereid is zijn toestemming te geven voor de opname. Stel je voor, Peter, ik getrouwd en boerin, mijn kind krijgt Pieter als vader en draagt dan zijn naam, hoeft zelfs nooit te weten hoe hij is verwekt. Dan is Schilles met zijn dronken buien de enige smet op mijn geluk.'

Hij bleef aarzelend kijken. Oom Aad en tante Lijnie waren het echter met Betsie eens dat dit inderdaad een goede oplossing voor het meisje zou betekenen. 'Volgens mij zijn hun gevoelens voor elkaar oprecht,' meende tante Lijnie toen Joke met haar naar de kalfjes was gaan kijken.

'Dankbaarheid ligt om de hoek, tante. Ze zouden meer tijd moeten nemen, maar gezien haar toestand is dat niet goed mogelijk.'

'Precies. Maar of Schilles zich over laat halen, zoals zij hoopt, betwijfel ik ten zeerste. Het is een lastige man, altijd geweest, een schande voor zijn gezin. Maar alleen hijzelf kan besluiten te stoppen met al dat drinken en een fatsoenlijke kerel te worden die naar behoren voor zijn gezin zorgt. Zolang dat niet gebeurt, verandert er daar niet veel.'

Tante had het goed gezien. Een week later kreeg Joke een aangeslagen brief van Betsie. Schilles gaf nergens toestemming voor, niet voor het huwelijk en ook niet voor het uit huis laten plaatsen van Tine. De vrijgekomen plek in het tehuis was daarom alweer vergeven aan een ander kind. Tante Alie, Pieter en zijzelf voelden zich alle drie zwaar aangeslagen, maar ze konden er niets tegen beginnen.

HOOFDSTUK 17

Slechts twee weken later was er opnieuw een trieste gebeurtenis te melden. Peter kwam op woensdagavond onverwacht bij hen langs. 'Toen ik vanavond thuiskwam, bleek mevrouw Naerebout niet thuis te zijn. Ik snapte er niets van. Het huis was rommelig, er stond geen eten op me te wachten. Als ze normaliter een dagje weg is, staat er iets klaar dat ik warm kan maken. Niet lang daarna belde de buurvrouw aan. Mevrouw Naerebout was vanmorgen gevallen en naar het ziekenhuis gebracht. Ik kreeg het telefoonnummer van haar zoon en toen ik hem belde hoorde ik dat ze bij de val haar heup heeft gebroken en dat die door rust moet genezen. Dat betekent een langdurige opname, eerst in het ziekenhuis en daarna zo goed als zeker nog een hele tijd in een revalidatiecentrum. Alleen als ze weer goed zou kunnen leren lopen, zou ze nog thuis kunnen wonen, maar dat is nog lang niet zeker.' Ontdaan ging hij zitten. 'Ik heb niet langer een hospita en misschien komt ze inderdaad niet meer thuis. Dan heb ik niet alleen geen hospita meer, maar zal de zoon mogelijk het huis willen verkopen.'

'Heb je al gegeten?' vroeg ma praktisch.

Hij schudde terneergeslagen het hoofd.

'Wel, warm eten heb ik niet meer, maar ik kan wel een paar eieren voor je bakken op een paar boterhammen.'

'Als het niet te veel moeite is, graag,' aarzelde hij. 'Ik kom hier zomaar binnenvallen.'

'Jongen, je hoort toch ondertussen bij de familie!'

Haar moeder ging aan de slag. Haar vader had avonddienst en was niet thuis, Flip was naar catechisatie en Lies zat samen met Ada te giechelen in de meisjesslaapkamer, zodat Joke en Peter alleen waren. Hij keek haar onzeker aan. 'Weer een tegenslag,' zuchtte hij nogal aangeslagen.

'Misschien valt het mee,' troostte ze nog. 'We moeten afwachten.'

'Ik had zo gehoopt dat alles anders zou gaan, Joke. Als mijn vader niet zo moeilijk had gedaan, hadden wij aan een verloving kunnen denken. Ik had zo graag een ring om je vinger geschoven, om onze liefde te bezegelen.'

'Kom, je bent van streek door deze onverwachte tegenslag. We mogen de moed niet laten zakken. Zo nodig moet je een ander kosthuis zoeken. Dat is niet leuk, maar ook niet onoverkomelijk. En wat ons betreft, in het ergste geval moet ik dan maar toegeven aan de eis van je vader en van kerk veranderen.'

Hij keek ernstig. 'Ik vind dat geen goede reden om zo'n stap te nemen, van kerk veranderen omdat dit van je wordt geëist, Joke. Geloof moet toch uit het hart komen.'

'Ja, dat ben ik met je eens, maar ik zet er mijn toekomst met jou niet voor op het spel. Er zijn ergere dingen, lieverd.'

'Ik ben zo in mijn vader teleurgesteld! Hopelijk word ik nooit zo star in het eisen van mijn eigen gelijk als hij.'

'Je moeder is veel milder en zij heeft een lange ervaring in het bewerken van haar man.'

Zijn glimlach was slechts vaag. 'Op andere terreinen kan ze daarmee een succesje boeken, maar niet waar het het geloof betreft. Soms vind ik het gewoon eng om te zien dat mensen zo overtuigd zijn van hun eigen gelijk en er werkelijk van overtuigd zijn dat alle andere mensen het daarom verkeerd zien.'

'Je eten.' De oudere vrouw kwam binnen met een bord waar de damp van de warme eieren van afsloeg, en daarmee maakte ze onwillekeurig een einde aan het gesprek.

'Ik had nog wat ontbijtspek, dat heb ik onder de eieren meegebakken.'

'Het ruikt heerlijk,' antwoordde hij watertandend terwijl hij aan de eettafel ging zitten. 'Zullen we zaterdag Betsie weer eens opzoeken? Wilt u mee, ma? En is pa dan vrij,

zodat hij ook mee kan?'
'Je noemt me ma,' zei de oudere vrouw aangedaan.
'O sorry! Zo denk ik over jullie, maar daarmee moet ik natuurlijk nog even wachten.'
'Wat mij betreft hoeft dat niet, hoor, Peter. Wat ons betreft hoor je er al helemaal bij. Ik zou voor willen stellen dat je voorlopig maar 's avonds hier komt eten, want nu zorgt er niemand voor je en koken heb je natuurlijk nog nooit gedaan. Over je was moet je je ook maar geen zorgen maken, die doe ik er wel bij zolang dat nodig is. Of wij tussen de middag warm eten of 's avonds, hangt van de dienst van pa af, maar we kunnen eigenlijk best zo veel mogelijk 's avonds warm eten. Voor Joke moet ik immers toch eten warm maken, als we tussen de middag al warm gegeten hebben. Steeds meer mensen eten tegenwoordig 's avonds warm, eenvoudig omdat de mannen hele dagen werken en de afstand te groot is geworden om tussen de middag thuis te komen eten.'
'Zou dat niet vervelend zijn?' vroeg Peter, toch een tikje ongemakkelijk.
'Welnee, joh. En Joke kan op zaterdagmiddag je kamer wel aan kant houden, misschien ook de planten verzorgen van de oude mevrouw, en over een paar weken weet je meer. Wie weet krijg je wel sneller een huis toegewezen via je werkgever, nu je hogerop geklommen bent. Dergelijke grote bedrijven krijgen gewoonlijk veel voor elkaar.'
'Maar dan nog, dan geeft mijn vader nog steeds geen toestemming voor een huwelijk.'
'Tenzij ik aan zijn eis tegemoet kom,' reageerde Joke gelaten. 'Er zijn uiteindelijk erger dingen, al vind ik het net als jij niet prettig.'
Hij schudde het hoofd. 'Een van mijn collega's zei me zelfs dat ik je maar zo snel mogelijk zwanger moest zien te maken, als ik zo graag met je getrouwd wilde zijn. Dan kwam die toestemming vanzelf wel.' Hij bloosde

ervan. Joke ook.

'Als je het maar laat!' reageerde zijn aanstaande schoonmoeder pinnig.

Hij ontspande weer. 'Maakt u zich maar niet ontgerust, ma, ik was dat niet van plan. Joke moet in het wit kunnen trouwen, zo wil ik dat. Maar over dat veranderen van geloof heb ik toch mijn ernstige twijfels, liefje.'

'Ik ben een paar keer met jou mee geweest naar de kerk, en jij met mij. Zeg nu eerlijk, zit er nu werkelijk een schokkend verschil tussen, behalve in die details waarover je vader zich zo druk maakt?'

'Voor mijn vader is het wel degelijk belangrijk. Maar ik weet het niet meer. Vroeger dacht ik nooit zo na over die dingen. Het geloof werd er met de paplepel in gegoten en het had iets veiligs, je zo zeker te voelen dat de weg die ons gewezen werd, de juiste weg was. En dan slaat de twijfel toe. Ik weet het niet. Maar uiteindelijk moeten jij en ik het wel eens worden over waar we naar de kerk gaan. Dat is dan weer de andere kant van het verhaal. Dat we er samen een lijn in trekken, is belangrijk voor onze kinderen later.'

Mevrouw Van der Sluis keek van de een naar de ander. 'Als je vader er werkelijk een breekpunt van maakt, Peter, en jij niet nog jaren wilt wachten tot je zijn toestemming niet langer nodig hebt, en bovendien mijn dochter inderdaad niet voortijdig met een kind opzadelt, tja, dan zou het kunnen zijn dat er voor jullie geen andere mogelijkheid overblijft. Bovendien, en vergeet dat niet, als jullie eenmaal getrouwd zijn en ze voelt zich niet thuis in jullie kerk, kan ze altijd weer op het oude nest terugkeren.'

'Daar zal geen enkele dominee blij mee zijn, ma.'

'Ik evenmin,' vond de oudere vrouw eerlijk. 'Ik geef alleen maar aan dat je dan opnieuw een keus hebt en dan kan je vader er niets meer tegen doen.'

'Eigenlijk is het al te erg,' vond Peter. 'Het is koehandel met zoiets belangrijks als het geloof. Maar aan de andere kant... We kunnen erover nadenken, Joke, er samen over praten. Mijn moeder mag Joke graag. Ik hou zielsveel van haar en alleen omwille van mijn onbuigzame vader moeten we het over deze zaken hebben, zoals we nu doen. Eerlijk, ik vind het te erg voor woorden.'

'Maar het is misschien zinvol om er toch eens goed over na te denken,' meende Joke. 'Mijn moeder heeft gelijk. Jij noch ik hebben er zin in om nog jaren verkering te moeten hebben zonder verdere vooruitzichten. Maar goed, we hoeven aan de andere kant ook weer niets halsoverkop te beslissen.'

Zodoende at Peter voortaan veel avonden bij hen. Niettemin hadden de twee jonge mensen nauwelijks privacy. Als ze samen op de meisjesslaapkamer zaten, werd haar moeder al snel onrustig. Niet dat ze hen niet vertrouwde, maar, zei ze soms, ze was zelf ook jong geweest en elk mens kon zijn zelfbeheersing verliezen.

Op vrijdagavond ging Joke met Peter mee om het huis te stofzuigen en voor de planten van de oude mevrouw te zorgen. Mevrouw Naerebout had een rijke verzameling sanseveria's, hertshooi en een prachtige oude ficus. Kranten en post legde Peter al op keurige stapeltjes. Hij had nog niets gehoord over haar toestand, maar wilde haar zondagmiddag tijdens het bezoekuur opzoeken. Hij zou de zoon bellen om te vragen waar mevrouw Naerebout precies lag.

Maar eerst werd het zaterdag en gingen ze die middag opnieuw naar Numansdorp. Ma had besloten deze keer niet mee te gaan, ze kwam uiteindelijk vroeger ook niet om de haverklap bij haar broer over de vloer en het werd overigens tijd dat oom en tante eens naar de stad kwamen om haar op te zoeken, vond ze. Zodoende reden Joke en Peter meteen door naar de boerderij van Schilles.

Tine reed in de regen rondjes op het oude fietsje van haar broers, waar ze eigenlijk veel te groot voor was, maar het was een driewieler waarmee ze niet kon vallen en ze was er onverwacht behendig in geworden, terwijl ze op een gewone fiets niet te vertrouwen was en al helemaal niet aan het verkeer kon deelnemen.

Betsie en Pieter groeiden merkbaar naar elkaar toe. Betsie was inmiddels behoorlijk wat dikker geworden. Het was duidelijk dat de geboorte van haar kind in zicht kwam en Pieter was er aangeslagen over dat zijn vader geen toestemming gaf voor zijn huwelijk. Ze waren van plan, stiekem alvast in ondertrouw te gaan, liet het tweetal weten. Ze droegen verlovingsringen onder hun kleren aan een kettinkje. Zodra de oude Schilles zijn mening herzag, en vader Boerlage zich over zou laten halen eveneens toe te stemmen zodat zijn dochter weer eerbaar zou worden, zouden ze trouwen. Ze hadden nog zes of zeven weken de tijd. Maar als het allemaal niet zou lukken, zou Pieter het kind echten zodra hij getrouwd was, ook al werd het kind dan onecht geboren.

Peter schudde het hoofd. Nogal aangeslagen nam hij afscheid van zijn zus en in bedrukte stemming reden ze naar de stad terug.

Er wachtte hem die zondag nog meer slecht nieuws. Mevrouw Naerebout zou zo goed als zeker nooit meer thuis kunnen komen. Hij zocht haar op in het ziekenhuis en sprak de zoon aan het bed. Die had het erover dat hij zijn moeder in de toekomst zo nodig zelf in huis zou nemen, want zelfs al kon ze uiteindelijk toch weer redelijk lopen, dat grote huis en zeker de tuin, dat zou zijn moeder nooit meer allemaal na kunnen lopen. Hij dacht er inderdaad over het huis te koop te zetten, bekende hij toen Peter daarnaar vroeg. De huizenprijzen stegen snel, hij kon zeer zeker goed geld voor het huis krijgen. Dus Peter zou er verstandig aan doen vast om te zien naar een ander kosthuis.

De volgende dag kwam hij 's avonds nog meer van streek naar boven toen hij uit zijn werk kwam. 'Ik kreeg vanmiddag een telefoontje van Pieter. Zijn vader heeft een ongeluk gehad en het ziet er niet zo goed uit. Tegenslagen, Joke, alleen maar tegenslagen. Ik moet toegeven dat het me boven het hoofd begint te groeien. Alles lijkt wel tegelijk te komen.'

Er volgden dagen vol onzekerheid. Er kwam bijna elke dag een telefoontje uit Numansdorp naar zijn kantoor, zei Peter aan het einde van die week tegen Joke. Hij maakte zich zorgen over zijn zus en omdat hij nu toch die auto tot zijn beschikking had, ging hij er maar weer eens heen. Vanzelfsprekend ging Joke met hem mee. 'Eigenlijk is het een prettige rit,' meende ze. Ze reden over de inmiddels vertrouwd geworden weg, de stad uit naar Barendrecht en daar de brug over naar de Hoeksche Waard. Op die brug kon het soms erg druk zijn. Zeker als een paard en wagen voor de auto de brug over ging, moesten auto's daar erg langzaam achteraan rijden omdat er geen ruimte was om te passeren. Daarna ging de reis verder over de dijk, die Joke goed kende omdat ze daarover in de zomer fietsten, heel het eiland over, want Numansdorp lag aan de zuidkant van het eiland. 'Met de auto ben je er binnen drie kwartier. De moderne tijd staat voor niets,' glimlachte ze toen het dorp waar ze naartoe gingen in zicht kwam. 'Ik weet dat mijn moeder Betsie heel erg mist en haar graag een keer op zou zoeken, maar mijn vader heeft haar dat verboden,' antwoordde Peter.
'Kan je moeder niet een keer alleen met ons mee komen, als je vader Betsie niet wil zien? Ik bedoel, een kind en een moeder gescheiden houden, dat is toch wel heel erg hard?'
'Hij geeft nu eenmaal niets toe, Joke, niet naar ons en al helemaal niet naar Betsie.'
'Vind je dat erg?'
Hij knikte en zijn ogen kregen een sombere uitdrukking. 'Heel erg. Ik verlies het respect voor mijn vader en begrijp niet hoe hij er zelf van overtuigd kan blijven dat hij op de

juiste manier handelt, dat hij in zijn eigen ogen de weg van God bewandelt, en tegelijkertijd daarmee de mensen om hem heen zoveel pijn en verdriet aandoet. Maar aan de andere kant mag ik niet zo'n oordeel over hem hebben, en dat maakt het nog verwarrender.'

'Ik heb er nog eens over nagedacht, Peter. Ik denk dat het voor ons de enige uitweg is als ik dan toch voortaan maar met jou mee ga naar de kerk. Als je vader ons dan accepteert, kunnen we misschien zijn hart voor Betsie ook wat verzachten.'

'Of juist niet. Het kan ook zijn, dat hij zichzelf ervan overtuigt dat hij wederom gelijk heeft gehad, als jij, in zijn ogen, op het juiste pad bent gekomen en dat Betsie voor altijd verloren is omdat ze zo zwaar gezondigd heeft.'

Joke rilde, maar ze kon hier niets aan toevoegen. Ze begreep een dergelijke houding eenvoudig niet. Ze vond het hard en liefdeloos. In haar mening kon geen enkel mens precies begrijpen wat God van de mensen verlangde. Iedereen kon zijn best doen, dat zeker, maar God kennen in de zin dat je als mens precies wist wat je niet alleen zelf moest doen en laten, maar ook dat dit maatgevend moest zijn voor alle andere mensen? Nee, ze dacht niet dat ze dat ooit zou kunnen begrijpen.

'Ik ga eens met onze dominee praten om het hem uit te leggen en om raad te vragen,' zuchtte ze toen. 'Er blijft ons gewoon geen andere keus, Peter. Daar raak ik steeds meer van overtuigd.'

'Toch is het niet juist om daarom van kerk te veranderen,' bleef hij van mening.

Ze keek hem aan. 'Dat ben ik roerend met je eens, maar zie jij een andere uitweg dan?'

Hij slaakte een diepe zucht. 'Nee, lieverd. Inderdaad zie ik geen andere oplossing. Maar het is zoals je moeder zei. Als we eenmaal getrouwd zijn, kun je alsnog opnieuw je eigen keus maken en misschien wil ik mijn eigen kerk dan zelfs wel verlaten om te kiezen voor die van jou.'

'Denk je daar dan over?'
'Als ik heel eerlijk ben, vind ik het momenteel nogal moeilijk om mijn vader als voorbeeld te blijven zien. Net als jij vind ik niet dat je een ander mens een keus mag afdwingen. Kiezen voor een geloof moet inderdaad van binnenuit komen. Zullen we er nog maar eens een nachtje over slapen?'
'Je kijkt zo somber.'
'Dat ben ik ook. We hebben dit jaar veel meegemaakt. We hebben elkaar ontmoet en zijn van elkaar gaan houden en dat is het mooiste dat mij ooit is overkomen, maar er is in een paar maanden tijd heel veel gebeurd. Mijn werk, verhuizen naar de stad, de onzekerheid of ik binnenkort mogelijk op straat sta, omdat mijn kosthuis waarschijnlijk aan andere mensen wordt verkocht. Betsie. De innerlijke strijd om alles wat er thuis gebeurt. Ik begin te merken dat het mij niet allemaal in de koude kleren is gaan zitten. Maar goed, we zijn er bijna. Nu gaat Betsie weer voor, maar denk er nog eens goed over na en als er geen andere mogelijkheid is, zullen we volgende week mijn ouders wijsmaken dat wij onze keus hebben gemaakt. Dan kunnen we ons alsnog verloven. Dan zijn we in ieder geval een stap dichter bij een huwelijk gekomen. Nu ik meer verdien, kan er ook meer gespaard worden. Misschien kunnen we dan over een jaar of zo trouwen, als we niet een te dure bruiloft willen.'
'De bruiloft moeten mijn ouders immers betalen?'
'Kunnen ze dat dan?'
'Ik zou het niet weten, Peter. Werkelijk niet, het is nooit ter sprake gekomen en ik wil het ze al helemaal niet vragen.'
'We zijn er.' Hij reed het erf op van de Schilles boerderij. Even kroop zijn arm om haar heen. 'Ik zal het nooit vergeten, lieverd. Wat jij voor mij wilt gaan doen.'
'Ik wil alleen maar samen verder kunnen, Peter. Als jij hetzelfde deed voor mij, gaf je vader nooit toestemming. Mijn

vader weet heus wel waarom die stap zo is, al zal hij er zeer zeker niet blij mee zijn. Maar hij is niet even liefdeloos als jouw vader en zal daar geen halszaak van maken.' 'In ieder geval is het het beste dat jij en ik hier open en eerlijk over kunnen zijn tegen elkaar. Laten we dat alsjeblieft zo houden.'

Het bleef stil op de boerderij. Vreemd. Ze liepen naar binnen, de achterdeur was open, want hier op het platteland sloot niemand die af. 'Ze zijn er niet,' stelde Peter een tiental minuten later vast. 'Vreemd. Heel vreemd.'

Ze stapten weer in de auto en reden naar oom en tante. 'Ze zijn weggeroepen,' vertelde tante. 'Zelfs Betsie is meegegaan omdat Schilles om haar vroeg. Alleen Tine zit in haar zolderkamer en daar kijken andere buren naar om. Ze zetten wat te eten bij haar neer. Het loopt af met Schilles, denken we. De familie moest komen en Schilles vroeg ook om de tweeling.' Tante schudde verdrietig het hoofd. 'Het is erg als iemand verongelukt, maar ze zeggen in het dorp dat hij zo stomdronken was dat het zijn eigen schuld was, en dat het eigenlijk een wonder was dat zoiets niet eerder is gebeurd.'

Ze dronken koffie bij oom en tante en gingen een uurtje later weer onverrichter zake terug naar de stad.

Pas laat die avond werd Peter gebeld, toen hij terug was gegaan naar zijn kosthuis. Het was zijn zus. Schilles lag er inderdaad heel slecht bij. Hij had afscheid genomen van hen allemaal, maar de strijd was nog niet gestreden. Zijzelf was met de tweeling teruggegaan naar de boerderij, want er moest toch iemand voor Tine zorgen, die kon geen nacht alleen blijven. Pieter en zijn moeder waren in het ziekenhuis gebleven. Oom Aad had vanavond de koeien gemolken en de beesten gevoerd, en zou dat blijven doen zolang Pieter nog niet terug was. Zelf kon ze hoogzwanger niet veel uitrichten.

'Houd me op de hoogte en sterkte,' had hij gewenst. Dat vertelde hij de volgende morgen aan Joke en haar ouders.

Die zondagmorgen ging hij met hen mee naar hun kerk. Zij voelde zich tijdens die dienst slecht op haar gemak. Nu ging ze veranderen. Niet omdat ze dat wilde, maar omdat ze het gevoel had dat dit moest. Ze kon niet anders, want ze hield van Peter. Maar juist voelde het niet, en dat gevoel bleef haar danig dwarszitten.

HOOFDSTUK 18

Het werd dinsdag eer er weer bericht uit Numansdorp kwam. De toestand van de oude Schilles bleek tegen alle verwachtingen in onverwacht verbeterd. Op vrijdag kwam er aanvullend bericht, toen Betsie haar broer belde. Deze was echter voor een vergadering naar Utrecht, maar ze had een boodschap voor hem achtergelaten op kantoor, die hij vond toen hij aan het einde van de dag nog even wat paperassen ophaalde die hij de volgende morgen thuis zou lezen, zodat hij niet naar kantoor hoefde te gaan. Zijn betere positie bleek ook meer vrijheden met zich mee te brengen, besefte Joke toen ze met het hele gezin aan de warme maaltijd zaten. Haar moeder had een stamppot van boerenkool gekookt, met wat spekjes erdoor en een stukje rookworst erbij. Peter smulde er zichtbaar van. Ondertussen vertelde hij wat Betsie in dat bericht had laten weten.

Mede doordat Schilles in het ziekenhuis gedwongen ontnuchterd was, bleek hij ineens toch over de kracht te beschikken om voor zijn leven te willen vechten. Huilend had hij zijn vrouw en oudste zoon om vergeving gevraagd. Sterker nog, hij had gevraagd of zijn dominee langs wilde komen om samen met hem te bidden en God om vergeving te vragen. Dat zou vandaag gebeuren en wat meer was, hij had zijn vrouw beloofd zijn toestemming te zullen geven voor het uit huis plaatsen van Tine, zodat zijn vrouw voortaan minder zwaar belast zou worden. Bovendien gaf hij zijn toestemming voor het huwelijk van Betsie en Pieter. Betsie was dan ook dolgelukkig. Dominee had voortvarend de nodige papieren voor beide kwesties geregeld en meegenomen. Als Schilles inderdaad tekende, zou de eerstvolgende plaats die in het tehuis vrijkwam voor Tine zijn, want de directrice daar kende de tragische achtergrond van het zwaar gehandicapte meisje. Hoewel vrouw Schilles inmiddels hersteld was van haar hernia, moest haar rug blijvend worden ontzien om te voorkomen dat ze er opnieuw last van kreeg. Als de papieren in orde waren, hoopten Betsie en Pieter zo snel mogelijk in alle stilte te trouwen. Betsie had dit nieuws inmiddels in een brief aan haar ouders laten weten en hoopte met heel haar hart dat haar eigen vader geen roet in het eten zou gooien door de broodnodige toestemming van zijn kant te weigeren. Peter bleek daar minder hoopvol over te zijn dan zijn zus.

'Dat is me nogal nieuws,' verzuchtte ma Van der Sluis aangedaan. 'Hoeveel leed kan een gezin verdragen? Maar de oude Schilles is niet binnen een paar weken uit het ziekenhuis.'

'Sterker nog, het is eerst nog afwachten of het herstel wel door zal zetten en er geen nieuwe complicaties optreden. Daarna moet hij voor langere tijd naar een herstellingsoord om aan te sterken. De verwachting is dat hij op zijn vroegst over twee of drie maanden thuiskomt, zolang er geen nieuwe kink in de kabel komt. Dus als hij de noodzakelijke formulieren getekend heeft, trouwen Pieter en Betsie zonder zijn aanwezigheid. Gezien de situatie zal dit gebeuren op het moment dat het gratis kan in het gemeentehuis en zal de zegen van de kerk niet worden gevraagd. Het huwelijk is in dit geval slechts een noodzakelijke formaliteit, en ik hoop van harte dat het inderdaad nog plaats kan vinden voor het kind geboren wordt. Betsie heeft mij als haar getuige gevraagd, en daarin zal ik zeker toestemmen.'

'Je loopt op de zaken vooruit,' vond Joke. 'Je vader moet er eerst nog mee instemmen en dat is op zijn minst twijfelachtig.'

'Jij denkt zo negatief over hem vanwege zijn hardheid tegenover ons.'

'Ik weet het,' gaf ze toe. 'Daar zal ik nog wel een paar jaar last van houden.'

'Vergeven is ook iets waar de Bijbel ons toe oproept,'

dacht haar moeder hardop.

'Ja ma, dat is zeker waar, maar ik ben er gewoon nog niet aan toe.'

'Dan hoop ik dat dit nog eens komt,' kreeg Joke terug.

De volgende middag reden Peter en Joke samen naar Zwijndrecht en haar moeder reed mee om haar ouders op te zoeken. Oma was alweer een paar weken thuis en opnieuw ging het goed met haar. Voor hoelang? Niemand die dat wist. Suikerziekte was een ernstige ziekte die moeilijk onder controle te houden was. Zo nu en dan nam de wijkzuster wat bloed af als ze bij oma was om insuline te spuiten en dan werd het suikergehalte nagekeken, maar als dat tussentijds flink schommelde, was daar weinig controle op mogelijk.

Opa en oma glunderden. 'Ik hoop dat je die auto mag houden als je chef weer aan het werk gaat,' liet oma weten. 'We zien jullie nu veel vaker en dat vinden we erg fijn.'

'Wij ook,' glimlachte Joke. 'Maar wij moeten verder.'

Ze was heel erg zenuwachtig. Peter had niet laten weten dat ze kwamen. Het zou geen gemakkelijke ontmoeting worden, besefte ze. Op dit moment voelde ze zelfs een sterke afkeer voor de man die over een poosje haar schoonvader moest worden. En het zou nog een hele opgave zijn om die afkeer te verbergen, besefte ze, maar het moest. Zonder zijn toestemming moesten Peter en zij nog lang wachten eer ze konden trouwen en dat was wel het laatste dat ze wilde.

Peters gezicht stond eveneens strak. 'Ik ben zenuwachtig,' liet hij weten toen ze er bijna waren.

'Ik ook,' gaf Joke toe. 'Misschien nog het meest om Betsie.'

'Ik niet. Ik heb het vervelende gevoel dat ik mijn vader ga voorliegen om zijn toestemming af te dwingen.'

'Zo erg is het nu ook weer niet, toch?'

'Als hij maar niet al te zelfgenoegzaam kijkt als hij hoort dat hij wat de kerk betreft zijn zin krijgt.'

Ze zuchtte. Ondertussen draaide Peter het erf van zijn ouderlijk huis op. 'Wel, daar gaan we dan,' sprak hij haar moed in, of misschien wel het meest zichzelf.

Zijn moeder was zichtbaar blij hen te zien, maar al snel keek ze met een onderzoekende blik van de een naar de ander. 'Jullie zitten met iets,' stelde ze vast.

Peter knikte. 'Wilt u het horen als ik het ook aan pa vertel, of wilt u het eerst horen?'

'Jos,' riep ze naar het kippenhok, waar zijn broer kennelijk bezig was het een of ander te repareren. 'Ga je vader halen.'

'Hij is op bezoek bij de buren,' vertelde Jos toen hij binnenkwam in een groezelige overal. 'Zo, jullie zijn het nog steeds eens met elkaar, ondanks pa?'

'Die drijft ons niet uit elkaar,' antwoordde Peter rustig. 'Ik wil hem zelf ook wel gaan halen.'

'Ik ga al.'

'Waar zijn de kinderen, ma?'

'Mien is met de jongsten het dorp in, en er zijn er twee naar een verjaardagsfeestje van school. Het is dus vreemd rustig in huis. Heb je nog wat van Betsie gehoord, Peter?'

'Ja moe, zelfs veel. Wat ik te bespreken heb, gaat ook over haar.'

'Wat mis ik mijn kind toch,' zuchtte ze droevig.

Joke voelde opnieuw diep medelijden met de oudere vrouw. Weten dat je kind moeder werd, en het dan niet mogen zien, straks de baby niet te mogen zien, dat moest haar ontzettend zwaar vallen.

Het duurde een halfuurtje eer pa Boerlage binnenkwam. Kennelijk had hij het niet nodig gevonden, meer haast te maken. Hij gaf zijn zoon en Joke een hand. 'Dat is lang geleden.'

'Ja, pa, maar daar waren de omstandigheden naar.'

'Wel,' hij trok een gezicht alsof hij zich van geen kwaad bewust was. 'Ik mag aannemen dat je eindelijk hebt ingezien dat er geen andere mogelijkheid is dan het juiste pad te gaan bewandelen, Joke?'

Even moest ze de impuls bedwingen om meteen op te staan en naar buiten te lopen, maar Peter wierp haar een waarschuwende blik toe, al las ze daarin dat hij net zo van zijn vader schrok als zijzelf.

'Peter en ik houden veel van elkaar, dat hebben we de vorige keer al gezegd. Als ik eerlijk ben, vind ik dat u zich te hard opstelt. Niet alleen naar ons toe, maar ook naar Betsie.'

Weer ving ze een waarschuwende blik van Peter op en ze beet op haar lip. Onder geen voorwaarde zijn vader kwetsen, bedoelde hij. Er stond te veel op het spel. Hij nam het woord van haar over en dat was natuurlijk het beste.

'U weet dat Joke en ik graag met elkaar willen trouwen. Daarin is geen verandering gekomen. We vinden het verdrietig dat er voorwaarden zijn verbonden aan het verkrijgen van uw toestemming, maar we zien geen andere uitweg meer. Na lang overwegen en veel gesprekken samen, heeft Joke dan ook besloten tegemoet te komen aan uw eis, om van kerk te veranderen.'

'Het is geen eis. Het was mijn wens dat je aanstaande vrouw tot de ware kerk zou toetreden, zodat haar ziel niet verloren zal gaan.'

Opnieuw klemde Joke haar tanden op elkaar en ze keek naar haar handen in haar schoot, omdat ze de ogen van die man op dat moment onder geen voorwaarde wilde ontmoeten. Hij zou er eens in kunnen lezen wat ze werkelijk van hem dacht! Maar misschien was hij daar te zelfgenoegzaam voor?

'Joke is al meermalen met mij mee geweest naar de kerk. We willen ons binnenkort verloven, en verder is het wachten op een huis, en natuurlijk moeten we nog flink sparen. Maar er is nog meer, vader. Het gaat om Betsie. Ze is goed terechtgekomen bij de familie Schilles. Haar zwangerschap verloopt probleemloos. De oudste zoon des huizes, Pieter, werd al snel verliefd op haar en na een poosje kreeg Betsie ook gevoelens voor hem. Nu wil Pieter snel met Betsie trouwen, in alle stilte en zo goedkoop mogelijk natuurlijk, maar het liefst nog voor het kind geboren wordt, want dan wordt het ingeschreven als zijn wettige kind en zal het zijn naam dragen.'

'Ze is verdorven en…'

'Wij kennen heel die jongen niet,' onderbrak zijn vrouw zijn woorden.

'Dat ligt niet aan Betsie. Ik wil alleen maar weten of pa haar zijn toestemming wil geven, ook al kent hij Pieter niet en ook al kan alles wat er gebeurd is niet terugge-draaid worden. Maar voor Betsie zou daarmee alles beter worden. Haar eer is dan gered.'

'Maar het blijft een feit dat ze een zware zonde heeft begaan en dat ze daarvoor boeten moet.'

'Ze heeft al geboet,' bracht zijn vrouw er zacht tussen. 'Ze heeft het daar heel moeilijk gehad. Toe, geef haar alsje-blieft je zegen. Als je het haar niet kunt vergeven, doe het dan alsjeblieft voor mij. Ik heb niet zo zwaar gezondigd, maar ik ben er wel zwaar door getroffen. Als Betsie netjes is getrouwd, kan ze weer zo nu en dan thuis komen. Ik mis haar. Of misschien kan ik haar op gaan zoeken, als jij haar liever niet over de vloer wilt hebben.'

'Eigenlijk moet je je daar niet mee bemoeien, en ik moet erover nadenken.'

'Ze is over een paar weken uitgerekend, dus ik hoop dat het niet te lang duurt voor u een beslissing neemt, pa,' zei Peter.

'En als het kind eerst komt? Trouwt die jongeman dan niet met haar?'

'Jawel, maar dan geeft dat weer een heleboel rompslomp om het kind zijn naam te geven en het door Pieter te laten erkennen.'

'Wel, dan zal ik mijn toestemming niet onthouden. Moet ik daarvoor dat huwelijk bijwonen?'

'De vader van Pieter vult papieren in met zijn toestemming omdat hij ziek is en er daarom niet bij kan zijn. U zou dat ook kunnen doen, maar ik zou het op prijs stellen dat u het ma gunt, erbij te zijn als haar dochter gaat trouwen.'

'En de kerk?'

'Dat moet u met Pieter en Betsie bespreken. Zoals het er nu voorstaat, trouwen ze slechts in alle stilte op het gemeentehuis.'

'Nu, het moet dan maar. Je hebt gelijk, vrouw. Haar eer wordt gered als ze is getrouwd, en het kind zal dan niet onnodig met de vinger worden nagewezen. Maar met mij is ze nog lang niet klaar.'

Daar reageerden de andere drie niet op. Een poosje later vertelde Peter van de ziekte van zijn hospita en dat hij nu een ander kosthuis moest zoeken, tot hij een huis toegewezen zou krijgen en kon trouwen, want de zoon van mevrouw Naerebout overwoog het huis te verkopen.

Zijn vader ging naar buiten om een sigaret op te steken en moe Boerlage viel haar zoon en aanstaande schoondochter om de hals. 'Dank je, Joke, dat je hebt toegegeven. Ik werd er zo verdrietig onder.'

'Moe, je hebt elf kinderen. Anton is getrouwd en ik ga dat doen, met Betsie komt het uiteindelijk toch nog in orde, maar met de andere kinderen zullen er mogelijk weer nieuwe problemen ontstaan,' zuchtte Peter.

Zijn moeder knikte en moest een traan wegvegen die over haar wang biggelde. 'Ik weet het. Ik weet ook dat je alleen maar lid wilt worden van onze kerk omdat mijn man dat van je eist, Joke, niet omdat het je overtuiging is. Dat vind ik verdrietig.'

'Dat is het voor mij ook, mevrouw Boerlage, maar ik hou van Peter en ik heb het ervoor over. Persoonlijk denk ik dat elke christen die oprecht van hart is, dicht bij God kan leven en dat het niet doorslaggevend is in welk kerkgebouw men zijn geloof belijdt.'

De oudere vrouw knikte. 'Ik durf het bijna niet toe te geven, maar ik sluit niet uit dat je gelijk hebt. Ik wil je

eveneens bedanken dat jij je destijds om Betsie bekommerd hebt. Is ze inderdaad zo goed terechtgekomen?'
'Ze heeft het in het begin heel moeilijk gehad.' Peter vertelde haar van Tine en van het gedrag van Schilles, die nu wel tot inkeer leek te zijn gekomen, maar met mannen die te veel dronken wist je het nooit. Velen vielen immers na een periode van inkeer weer terug in hun slechte gewoonte. Maar Betsie hield van Pieter en die jongeman had een goede inborst. Hij had alles gedaan wat mogelijk was om zijn moeder te helpen en tegelijkertijd het boerenbedrijf gaande te houden.
'Is het hun eigendom of wordt de grond gepacht?' wilde mevrouw Boerlage nog weten, want dat was een groot verschil.
'Hij is pachtboer, ma, maar al voor de vierde generatie op de boerderij. Het is een klein bedrijf. Betsie wordt niet welgesteld, maar ze verdienen er met hard werken wel een goedbelegde boterham.'
Verder kon zijn moeder hen niets vragen, want vader Boerlage kwam weer binnen. 'Ik heb eens nagedacht,' begon hij. 'Ga nog eens even zitten, zoon. Jij wilt dus trouwen en toen je pas bij mevrouw Naerebout woonde, zei je eens dat dat nu een huis was zoals je dat in de toekomst graag zou willen bezitten.'
'Zeker, pa, maar zover is het nog lang niet. Ik heb wel gespaard, maar zeker niet genoeg om nu al een huis te kunnen kopen. Je weet dat daarvoor een flink bedrag aan eigen geld ingelegd moet worden, naast de eventueel wel te verkrijgen hypotheek.'
'Heb je er enig idee van wat dat huis moet gaan kosten?' vroeg de oudere man weer.
'Nee, waarom? Dat is toch niet aan de orde?'
'Hoeveel, denk je?'
'Het is een hoekhuis met een flinke tuin aan drie kanten en het ligt aan een singel. Ik schat dat hij er zeker vijftienduizend gulden voor zal willen hebben.'

'Als ik nu eens garant sta voor de hypotheek en het benodigde eigen geld voorschiet, dat je dan later aan mij terugbetaalt met een schappelijke rente, dan zou het mogelijk
worden dat je dat huis koopt. En dan kun je bovendien
met Joke gaan trouwen, zeg ergens in het late voorjaar.'
Ze keken hem beiden met een mond vol tanden aan. Wat
ze ook verwacht hadden, dit was werkelijk wel het allerlaatste!
'Nu, zeggen jullie niets?' wilde de oudere man toen weten
en werkelijk, er was zelfs een glimlach op zijn gezicht te
zien.
Joke keek verbijsterd naar Peter. Die vond als eerste zijn
spraak terug. 'Zou u dat willen doen?'
'Waarom niet? Je hebt een goede opleiding genoten, je
had er ook de hersens voor. In een tijd als deze kan een
man als jij opklimmen en dan moet er een goede vrouw
achter je staan. Dat helpt altijd. We kunnen alles op papier
laten zetten en goed regelen. Ik geef jullie een lening die
voldoet om het benodigde geld op tafel te leggen bij de
notaris en waarvan je bovendien je bruiloft kunt betalen,
als de ouders van Joke dat onverhoopt niet doen. Met wat
jullie al hebben gespaard kunnen jullie het huis bescheiden inrichten. Dan kan er getrouwd worden. Ik wil niet
nog een keer meemaken dat er een kind wordt verwacht
buiten een huwelijk om.'
'En Betsie?'
'Er zit niets anders op dan haar mijn toestemming te
geven. Ik heb gebeden om wijsheid. Ik hoef haar of het
kind niet vaak te zien, maar als ze netjes getrouwd is, is
dat inderdaad beter dan de schande die haar wacht als ze
niet getrouwd is. Dan heb ik naar buiten toe geen onecht
kleinkind. Het gebeurde van maanden geleden is immers
niet te veranderen en iemand anders trouwt niet zo gauw
met een vrouw die al een kind heeft dat in zonde is verwekt. Zodra Joke lid is geworden van onze kerk, zullen we
de zaken regelen. Afhankelijk van je inkomen bepalen we

een bedrag dat je mij maandelijks of driemaandelijks terugbetaalt, en hoelang je erover mag doen om de lening weer af te lossen. Zeg maar tegen die zoon van mevrouw Naerebout dat wij samen een keer met hem willen onderhandelen. Ik zal proberen het huis zo goedkoop mogelijk voor je te bemachtigen, en volgende week zaterdag komen je moeder en ik naar Rotterdam om het huis nog eens grondig te bekijken voor ik erin ga investeren.'

'Maar... heeft u zoveel geld dan?'

'Maak je daar geen zorgen over, Peter. Dat los ik zelf wel op. Jullie hoeven geen weet te hebben van mijn zaken, voor ik onder de grond lig.'

Ze waren nog verdoofd toen ze al bijna thuis waren. Maar Peter reed niet naar de flat waar zij woonde, maar stopte voor het huis van zijn hospita. 'Nu kijk ik hier heel anders naar, Joke. Stel je voor, dat wij mogelijk dit voorjaar al kunnen trouwen en dat dit werkelijk ons huis mag worden.'

'Het is bijna te mooi om waar te zijn,' hakkelde ze. 'Ik zit aldoor te wachten welke adder er onder het gras vandaan komt.'

Peter schudde het hoofd. 'Wat ik ook had verwacht, zeker niet dit. Stel je voor, er waren zoveel problemen tegelijkertijd en nu lost alles zich zomaar op! Voor ons, voor Betsie.' Hij pakte haar bij de hand en samen liepen ze het huis door. De kamer was ruim, veel ruimer dan de kamer in hun portiekwoning. De voorkamer keek uit op een singel, de achterkamer was ingericht als eetkamer en kon met schuifdeuren worden afgesloten tot een aparte kamer. De keuken was vierkant en ook daar kon een eenvoudige tafel staan om aan te eten of klusjes te doen. In de tuin was een schuurtje. Daar kon een wasmachine komen. Er was nog geen badkamer in het huis, maar Peter zei dat ze het kleinste kamertje boven waar een wastafel was en waar mevrouw altijd streek, konden ombouwen tot een doucheruimte.

'Je loopt met je hoofd in de wolken,' hielp ze hem even later uit de droom.

Hij keek haar ernstig aan. 'Het zal allemaal niet gemakkelijk worden, Joke. We zullen jarenlang zuinig moeten zijn om mijn vader terug te betalen en als wij gaan trouwen, word jij vanzelfsprekend ontslagen.'

'Dat is waar. Er zijn tegenwoordig wel vrouwen die willen blijven werken tot er kinderen komen, maar dat mag bijna nergens. Ik zou het ook wel willen, want het zou ons wat extra inkomsten geven. Maar misschien kan ik alsnog in opdracht naaien? Op het atelier zijn twee nieuwe naaimachines besteld. Ik zou misschien een van de oude machines voor een schappelijke prijs kunnen overnemen. Het scheelt ook veel geld als ik mijn eigen kleren en eventueel ook later die voor onze kinderen, zelf kan naaien. Gordijnen en zo kan ik ook zelf maken.'

Hij trok haar dicht tegen zich aan. 'Wat ik ook van deze middag had verwacht, dit was wel het allerlaatste,' peinsde hij. 'Maar wat maakt het me gelukkig dat dit allemaal mogelijk wordt!'

'Ik begrijp werkelijk niets meer van je vader,' verzuchtte Joke. 'Eerst was hij zo bikkelhard en nu doet hij zoiets!'

'Vraag me ook niet naar het waarom. Alleen,' even werden zijn ogen nadenkend, 'bedenk wel dat je niet naar je eigen kerk terug kunt gaan, zolang wij de lening aan hem niet hebben terugbetaald.'

'Dat zal toch niet de reden zijn dat hij dit voorstel heeft gedaan?' vroeg ze geschrokken.

'Dat kan ik me ook nauwelijks voorstellen, maar ik kan het ook niet uitsluiten. Ik moest er ineens aan denken en nu moet jij dat ook overwegen.'

'Ach Peter, is het nu zo belangrijk in welk kerkgebouw we zitten? Voor mensen als je vader, ja. Maar voor mij? Eigenlijk niet. Ik had meer moeite met de dwang dan met het feit.'

'Ik blijf het vervelend vinden,' gaf hij ruiterlijk toe. 'Maar niettemin ben ik dolgelukkig met deze mogelijkheid.'

'Het huis is nog lang niet van ons,' dacht ze nuchter. 'Wie weet wat je ervoor moet betalen, want huizenprijzen stijgen snel omdat er zoveel woningnood is.'

'Dat neemt niet weg dat maar weinig mensen zich een eigen huis kunnen permitteren, juist vanwege dat eigen vermogen dat moet worden ingelegd. Kom, we gaan je ouders het nieuws vertellen.'

'Nu we toch hier zijn, bel eerst naar Numansdorp, zodat Betsie weet dat haar huwelijk door kan gaan. Er gaat binnenkort veel veranderen, Peter, als alles door mag gaan.'

HOOFDSTUK 19

'Er is bezoek voor je.'

Joke schrok op. Ze was net bezig met het zomen van een japon die bijna klaar was. 'Bezoek? Hier?' vroeg ze.

Het gezicht van juffrouw Clemens stond strak. 'Inderdaad, hier. Er staan twee mensen in de winkel en die vragen naar je.'

'Dan moet ik wel even naar beneden gaan, maar ik beloof u, juffrouw Clemens, dat ik het zo kort mogelijk zal houden. Ik heb zeer zeker niemand gevraagd om op mijn werk langs te komen.'

Er volgde een korte knik en Joke haastte zich de trap af. Stomverbaasd keek ze even later in het lachende gezicht van Betsie, en dat van Pieter stond als dat van een kat in een vreemd pakhuis. Begrijpelijk, want wat moest een boerenzoon met bij wijze de klei nog onder zijn nagels, ook zoeken in een deftige stoffenwinkel in een grote stad? Mijnheer was bezig rollen stof netjes te leggen. Gelukkig was er op dit moment geen klant in de winkel.

'We zijn bij pa wezen kijken, en Betsie wilde pertinent hier langs,' legde Pieter uit, en het klonk als een verontschuldiging.

'Dat is aardig, Betsie, maar ik heb het erg druk en kan boven niet gemist worden.'

Ze gaf beiden een hand, maar Betsie vloog haar desondanks met een traan in de ogen om de hals. 'We zijn je zo dankbaar, Joke.'

'Mij? Ik heb toch niets bijzonders gedaan?'

'Dank zij jou hebben wij elkaar leren kennen! Eergisteren zijn alle papieren ingeleverd en in orde bevonden, en we wilden je zelf vertellen wat we daarnet tegen pa Schilles hebben gezegd. In de tweede week van het nieuwe jaar gaan we trouwen, 's morgens om negen uur al. We doen er niet meer aan dan daarna op de boerderij koffiedrinken en taart eten, maar Peter is mijn getuige en jij zult voor die ochtend vrij moeten vragen. Als jullie te vroeg op reis moeten, mag je de avond tevoren al komen en bij je oom en tante slapen. En stel je voor, mijn vader en moeder komen ook, want pa moet natuurlijk ook zijn toestemming geven en gelukkig doet hij dat niet slechts schriftelijk. O, ik heb mijn moe toch zo gemist en ik ben zo blij om haar binnenkort weer eens te zien en....'

Haastig brak Joke de woordenstroom af. 'Ik ben ontzettend blij voor je, maar Betsie, als ik hier lang sta te praten, krijg ik een standje van mijnheer.'

'O, jammer, het kan niet, dat begrijp ik wel, maar...'

Pieter greep in. 'Ze zit vol emoties en dat begrijpen we allemaal, maar we willen je zeker niet onnodig ophouden. Je weet het nu en ik hoop van harte dat je vrij krijgt om erbij te zijn. Nu moeten we gaan, Betsie. Dank je, Joke, ook namens mij.' Hij trok Betsie half de winkel uit.

Verlegen keek Joke om en mijnheer keek gelukkig niet langer zo misprijzend. 'Het is vervelend als mensen je ongevraagd opzoeken,' knikte hij, 'maar ik heb alles gehoord en begrijp dat die jongedame vol emoties zit vanwege haar huwelijk terwijl ze... Nu ja, het is duidelijk te zien dat het hard nodig is dat er getrouwd wordt.'

Ineens moest Joke lachen. Gewoonlijk was mijnheer behoorlijk afstandelijk, maar hij kon wel erg goed de deftige dames die hier kwamen om stoffen uit te zoeken, vleien. 'Ze is het zusje van mijn aanstaande verloofde en inderdaad mijnheer, de tijd gaat dringen om wat er het eerst zal zijn, het kind of het huwelijk. Ik hoop het laatste. Ik zou op die dag dus heel graag een vrije ochtend hebben. Mijn Peter is haar getuige, ziet u.'

Hij keek gelukkig welwillend. 'Nu, vooruit dan maar. Na de jaarwisseling heb je weer nieuwe vrije dagen, maar je kunt het ook compenseren met het maken van onbetaalde overuren. Zoals ik hoorde, kun je op die bewuste dag gewoon tussen de middag weer hier zijn en de rest van de dag werken.'

'Ja mijnheer. Dat zeker, dank u wel.' Ze haastte zich weer naar boven, waar juffrouw Clemens nog steeds erg chagrijnig keek. 'Het spijt me, juffrouw. Mijn aanstaande schoonzus kwam langs om te vertellen dat ze gaat trouwen en mijnheer hoorde het. Ik heb vrij gekregen voor de ochtend dat het huwelijk plaatsvindt, en mag de uren compenseren met overwerk.'

'Je doet maar,' reageerde de oudere juffrouw nuffig. 'Jongelui van tegenwoordig denken maar dat het leven alleen maar feestvieren is.'

Ze was zo verstandig daar niet op te reageren.

Die avond onder het eten vertelde ze Peter van het onverwachte bezoek. 'Ze zal er zo vol van hebben gezeten, dat ze er niet over nagedacht heeft,' meende hij. 'Ik heb overigens vandaag een telefoongesprek gehad met de zoon van mevrouw Naerebout. Het is nu zeker dat zijn moeder nooit meer thuiskomt. Ze ligt voorlopig nog in het ziekenhuis en zal daarna worden opgenomen in een tehuis waar altijd zorg aanwezig is. Vrijdagavond komt hij als gebruikelijk de post ophalen van zijn moeder en hij weet dat ik hem dan wil spreken. Ik heb mijn vader een telegram gestuurd, want het is wel raadzaam dat die erbij is. Hij komt in de middag met mijn moeder naar de stad en ik zou je moeder willen vragen of ze dan hierheen mogen komen om mee te eten. Dan kunnen onze ouders met elkaar kennismaken. Stel, mijn liefste, dat het allemaal lukt, dan kunnen we ons verloven en zelfs al dit voorjaar trouwen. Ik kan bijna niet geloven dat alle problemen van de laatste tijd zo'n gunstige wending hebben genomen en zich zo eenvoudig lijken op te lossen.'

'Zo eenvoudig zal het misschien niet gaan. Wie weet hoeveel Naerebout de prijs ophoogt die hij voor het huis wil hebben, als hij beseft hoe graag jij het kopen wilt.'

'Ik heb voor vrijdagmiddag een afspraak kunnen maken met een makelaar. Hij taxeert het huis voor ik dat gesprek aanga. Mijn vader is daar hopelijk ook bij. Het zal hem het gevoel geven veel in de melk te brokkelen te hebben, want daar houdt hij wel van.'

'Wat aardig,' mompelde ma Van der Sluis. 'Maar wat moet ik koken, als ik gasten krijg?'

'Wat zou u denken van gewone winterkost? Mijn vader is gek op zuurkool met spek, als ik een hint mag geven, en met een borreltje voor het eten kan zijn dag eenvoudig niet meer stuk.'

Lies schoot daverend in de lach en Joke moest er wel aan meedoen. 'Hij wordt welbewust in de watten gelegd!'

Peter keek ernstig. 'Ik ben zijn eerdere houding niet vergeten, Joke, en misschien zal me dat nooit meer lukken. Maar hij maakt het ondertussen wel mogelijk dat wij samen aan onze toekomst kunnen beginnen en wat mij betreft maakt hij daarmee weer heel veel goed.'

'Tot we iets anders doen wat hem niet aanstaat,' mompelde ze zuinigjes, 'en dan moeten we opnieuw naar zijn pijpen dansen, omdat hij de macht in handen heeft als we hem zoveel geld verschuldigd zijn.'

'We laten alles bij een notaris vastleggen in een zakelijke overeenkomst,' beloofde hij haar. 'Ik heb een dure les geleerd in de afgelopen tijd, Joke. Misschien is het zelfs mogelijk dat mijn werkgever garant wil staan als dat nodig is voor de hypotheek, maar het voorschieten van het benodigde geld voor de eigen inbreng en om ons huwelijk te betalen, is toch iets waar ik mijn vader erg dankbaar voor ben.'

'Ik ook,' gaf ze toe, 'maar ik droom nog weleens akelig van die andere kant van hem.'

Peter was erg gespannen toen de dag was aangebroken die hun leven zo drastisch zou kunnen veranderen. In de middag was hij met zijn ouders het kosthuis van mevrouw Naerebout gaan bekijken en hadden ze er het gesprek gehad met de makelaar, die een schatting had gegeven van de te verwachten vraagprijs. Hij had grondig rondgekeken en een paar minpunten gevonden aan het huis, die de prijs konden drukken. Hij had aangeboden desgewenst voor hen te willen onderhandelen, maar in eerste instantie hoopte Peter er zelf met Naerebout uit te kunnen komen. Zijn moeder was onder de indruk geweest. Zijn vader vond nog meer minpuntjes, zoals een raamkozijn waarvan het hout een paar slechte plekken vertoonde. 'Breng dat maar flink naar voren om de prijs te drukken. Het zijn zaken die Jos en ik zelf kunnen repareren. In de wintertijd hebben we daar wel tijd voor. Jij hebt twee linkerhanden als het op klussen aankomt,' grinnikte hij. 'Maar goed, daar staat weer tegenover dat jij een behoorlijke brief kunt schrijven.'

Ma was behoorlijk zenuwachtig geweest voor de kennismaking met de ouders van Peter en al helemaal omdat ze eters kreeg. Dat gebeurde bijna nooit. Tot voor een paar jaar geleden waren opa en oma zo nu en dan een dagje op bezoek gekomen als er een verjaardag was. Dan aten ze tussen de middag mee, maar dat waren haar eigen ouders en geen vreemden, en dat was toch heel anders. Bovendien wist ze van de onverzoenlijke houding van Boerlage waar het de kerk betroffen had en vonden ze het zelf best wel moeilijk dat hun dochter nu noodgedwongen naar een andere kerk ging, enkel en alleen omdat dit van haar werd geëist om met Peter te kunnen trouwen. Niettemin waren ze Peter gaan waarderen en waren ze ervan overtuigd geraakt dat die twee goed bij elkaar pasten. Welke moeder gunde het haar dochter niet om in de eerste plaats een goed huwelijk te hebben? Pa Van der Sluis had die dag dagdienst gehad en was moe toen hij thuiskwam. Hij ging niet mee naar de afspraak met Naerebout. Pa Boerlage dacht dat het beter was als de vrouwen thuis bleven, want zakendoen was een mannenaangelegenheid. Ma Boerlage legde zich daar met grote vanzelfsprekendheid bij neer. Ze was nooit anders gewend geweest. Joke had wel graag mee willen gaan, maar durfde niets te zeggen om de man van wiens gunsten ze toch afhankelijk waren, niet onnodig tegen zich in het harnas te jagen.

Het wachten viel haar zwaar. De mannen spraken af dat ze een maximum van vijftienduizend gulden zouden bieden. De makelaar had een bod geadviseerd dat vijfhonderd gulden lager lag. Er waren niet veel mensen die een eigen huis konden betalen. Het aanbod was niet groot, maar de vraag evenmin. De meeste mensen woonden vanzelfsprekend in een huurhuis en de grootste woningnood bestond uit betaalbare huurwoningen voor mensen die het niet al te breed hadden. Ze hadden het geluk dat er verderop aan de singel ook een huis te koop stond, een vrijstaande woning waarvoor wel twintigduizend gulden werd gevraagd, maar dat huis was afgelopen zomer al te koop gezet en nog steeds niet verkocht.

Het wachten duurde eindeloos, voor Jokes gevoel. De beide oudere vrouwen bespraken huishoudelijke zaken als breipatronen, en even kwam het gesprek op het aanstaande huwelijk van Betsie. Ma Boerlage vertelde dat haar man zijn dochter niet eerder wilde zien dan op de trouwdag zelf. Ze miste haar dochter heel erg, maar ze moest zich naar haar man schikken. Na zoveel jaar huwelijk was dat een gewoonte van haar geworden, waar ze waarschijnlijk niet eens meer over nadacht. De man was het hoofd van het gezin en vrouwen accepteerden dat in bijna alle gevallen.

De mannen bleven lang weg en Joke werd daar steeds zenuwachtiger van. Toen ze eindelijk terugkwamen, keek Peter onzeker. 'Ik weet het niet. Hij vraagt maar liefst zestienduizend gulden voor het huis, dus pa heeft de vraagprijs nogal bot van de hand gewezen en gezegd dat hij heel een andere prijs geadviseerd heeft gekregen van een makelaar: veertienduizend gulden en niet hoger. Hij heeft daarmee een laag eerste bod gedaan en uitgebreid elk kleinste gebrek uitgemeten. Naerebout had er geen oren naar.'

'Trek het je niet aan, dat hoort bij het spel,' meende zijn vader. 'Hij wil de hoofdprijs door zo veel mogelijk geld binnen te slepen en wij eigenlijk ook, door zo min mogelijk voor het huis te moeten betalen. We hebben geen haast. We wachten rustig af.'

'Ik ben er niets gerust op,' aarzelde zijn zoon. 'Als hij het huis bij een makelaar te koop zet, is er misschien al snel een ander die het huis net zo graag wil hebben als ik.'

'Dat kan, en dan nog kunnen we een hoger bod overwegen. Maar je moet in zulke gevallen je gretigheid goed verborgen houden.'

'Hij geeft gelijk,' zuchtte Peter, 'maar ik wil juist zo graag zekerheid.'

'Ga er maar van uit dat de onderhandelingen wel een paar weken kunnen duren,' antwoordde zijn vader nuchter.

Ze dronken nog koffie met elkaar en Peter besloot zijn ouders met de auto weg te brengen naar de trein, zodat ze niet in de kou bij de tramhalte hoefden te wachten en evenmin een tiental minuten op het koude, tochtige station van Rotterdam-Zuid.

Joke sliep die nacht slecht. Net als Peter was ze bang dat de kans die ze zo onverwacht hadden gekregen, alsnog in duigen zou vallen.

De feestdagen gingen dat jaar net als altijd erg rustig voorbij. Met Schilles bleef alles ongeveer hetzelfde, schreef Betsie. Peter was op de eerste kerstdag bij Joke thuis en de tweede kerstdag brachten ze door op de tuinderij van zijn ouders. Ze ging daar met hen mee naar de kerk. Dominee daar was zwaarder op de hand dan de dominee van de gemeente in de stad waar Peter nu kerkte, dus ondanks dat het van hetzelfde kerkgenootschap was, bestonden er onderling ook verschillen, stelde Joke met enige verbazing vast.

Het was een lange dienst geweest, waarin Joke zich eerder bezwaard voelde dan iets anders.
De jaarwisseling was hij weer bij hen thuis. Ze bleven op tot het vuurwerk losbarstte en er op de hoek van de straat een grote hoop kerstbomen in brand werd gestoken. In Rotterdam kwam er elk jaar een oorverdovende herrie uit de havens, omdat alle schepen daar hun signalen lieten horen.

Bescheidener kon een huwelijk niet zijn, dacht Joke op een morgen in de tweede week van het nieuwe jaar, toen ze naar het gezicht van Betsie keek, die een uurtje geleden getrouwd was met Pieter Schilles.
Betsie keek gelukkig, al bekende ze wel erg tegen de komende bevalling op te zien. Pieters gezicht stond rustig. De plechtigheid was kort en bijna zakelijk geweest. Ze trouwden met twee andere stellen tegelijk, wat er niet aan bijdroeg dat alles wat persoonlijker zou zijn. Maar Betsie droeg nu een eenvoudige gouden trouwring en ze had een zoen van haar moeder gekregen en een hand van haar vader, al had die de hele morgen een zuinig gezicht getrokken. Over de kerk, en vooral over het ontbreken daarvan vandaag, had hij gelukkig niets gezegd. Haar ouders keken hier als twee vreemde eenden in de bijt om zich heen. Oom en tante waren de enige buitenstaanders die aanwezig waren, naast een voor Joke onbekende man die naar de naam Evert luisterde en met wie Pieter blijkbaar weleens ging vissen. Ze kenden elkaar van de kerk en vroeger nog van school, ze waren altijd min of meer bevriend gebleven. Deze man was de getuige voor Pieter geweest, want Tine kon dat vanzelfsprekend niet en de tweeling was nog veel te jong.
Vader Schilles lag nog steeds in het ziekenhuis. Het ging nu al weken op en af met hem. Hij had een infectie opgelopen en gloednieuwe medicijnen gekregen, antibiotica geheten, om het gevaar te bestrijden, want infecties

211

waren maar al te vaak dodelijk. Als hij dit overleefde, zou hij over een paar weken mogelijk naar een herstellingsoord kunnen. Zijn humeur was al te vaak beneden alle peil. Zijn vrouw zocht hem een keer in de week op, maar leek geen last te hebben van zijn langdurige afwezigheid. Eigenlijk miste niemand de man die hen het leven jarenlang zo moeilijk had gemaakt, besefte Joke. Of en wanneer Schilles thuis zou kunnen wonen, wisten ze nog niet. Maar een hele opluchting was wel dat Tine in de derde week van het nieuwe jaar een plekje zou krijgen in het tehuis waar ze al eerder geplaatst had kunnen worden als haar vader dat niet tegengehouden had.

Na de eenvoudige huwelijkssluiting waren ze hiernaartoe gegaan om koffie te drinken. Om er toch een beetje een feestelijke aangelegenheid van te maken, had tante Lijnie een taart gebakken en die voorzien van slagroom en roosjes van suikerwerk.

Daarna waren ze weer vertrokken. Peter bracht zijn ouders eerst naar Zwijndrecht terug. In de auto ratelde zijn moeder al haar zenuwachtigheid van zich af, maar ze was vooral dolgelukkig dat ze Betsie na al die maanden weer eens had kunnen zien, en zelf vast had kunnen stellen dat haar dochter er inderdaad gelukkig uitzag en dat zij en Pieter werkelijk om elkaar leken te geven.

Toen ze eindelijk rustiger werd, spraken Peter en zijn vader nog even over het huis. Naerebout was na lang nadenken gezakt tot een vraagprijs van vijftienduizend gulden, en vader Boerlage had Peter aangeraden een tegenbod te doen van veertienduizend en vierhonderd gulden, om dan ten slotte na een nieuwe ronde uit te komen op veertienduizend en zevenhonderd gulden, een alleszins acceptabele prijs. Dan zou Peter ongeveer drieduizend gulden contant op tafel moeten leggen en nog duizend gulden erbij lenen van zijn vader om de onkosten van de bruiloft te betalen, voor zover de ouders van Joke dat niet aanboden, en om de meest noodzakelijke spullen te kopen voor hun inrichting.

Peter bleef ongeduldig, maar Joke begreep ook wel dat het werkelijk zinnig was om zich niet te happig te tonen. Het huis was in ieder geval nog niet in de officiële verkoop gedaan. Dat verlichtte de druk die Peter en zij beiden voelden, want of dit lukken zou was zo allesbepalend voor hun toekomst, dat ze er soms wat angstig van werd. Geduld, ontdekte ze, was op dit moment niet een van haar sterkste eigenschappen.

Ze namen hartelijk afscheid. Op de terugweg verbaasde Joke zich daar weer eens over. 'Ongelooflijk dat ik nog maar een paar weken geleden zo ongeveer bij je ouders het huis uit gekeken werd.'

Peter knikte. 'Mijn vader maakt nu veel goed, maar ik ben het ook nog lang niet vergeten, Joke.'

'Wel, Betsie is getrouwd en heeft hete tranen gejankt toen ze eindelijk haar moeder weer eens zag. Met haar is alles toch nog goed gekomen, na alle commotie afgelopen zomer.'

'De geboorte zal al snel plaatsvinden. Ik hoop dat het pas gebeurt als Tine niet meer thuis woont. Maar ook dat alles is in Gods hand. Voorlopig mogen we er ons vooral dankbaar voor voelen, dat alles een keer ten goede heeft genomen.'

Het telefoontje kwam toch nog onverwacht, maar dat was altijd zo. Betsie was bevallen van een gezonde dochter, die zes pond en vier ons woog. Moeder en kind maakten het beiden goed, maar de bevalling was zwaar geweest. De huisdokter van de familie Schilles had uiteindelijk zelf de bevalling gedaan omdat de verloskundige zijn hulp had ingeroepen. Joke hoopte er snel met Peter naartoe te kunnen gaan en misschien kregen ze van zijn vader toestemming om zijn moeder mee te nemen zodat deze haar kleinkind kon zien. Moe Boerlage kon natuurlijk wel alleen de reis maken, eerst naar Rotterdam, dan overstappen op de stoomtram en het hele eiland over, maar de luxe van het autobezit wende verbazingwekkend snel. Het zou hen nog tegenvallen als de chef van Peter zover genezen was, dat hij zijn werk weer kon doen! Maar beiden wilden daar nog niet te veel aan denken. Er kwamen weinig berichten uit de Zwitserse bergen, geen goede en geen slechte, maar tuberculose was een erge ziekte waarvan het genezingsproces lang duurde. Als mensen er al zo goed van genazen dat ze weer in staat waren hun werk naar behoren te doen, hadden ze geluk. Zo niet, dan zag het er somber uit voor werknemers, want voorzieningen hiervoor bestonden nauwelijks.

De maand liep al naar het einde eer er weer beweging kwam wat het huis betrof. Naerebout belde Peter op, dat hij hem zo snel mogelijk wilde spreken. Hij deed een laatste bod en als Peter daar geen genoegen mee nam, moest hij binnen twee weken het huis verlaten, omdat het dan officieel in de verkoop zou gaan. Joke en Peter werden daar erg zenuwachtig van. Voor dat doorslaggevende gesprek haalde Peter opnieuw zijn vader op, maar toen hij weer terugkwam, toonde zijn gezicht grote opluchting. Hij trok Joke in zijn armen en zwierde haar rond terwijl hij haar ongegeneerd op de mond zoende. 'Ik ben nog nooit zo opgelucht geweest! Naerebout heeft kennelijk beseft dat hij niet zomaar elke prijs kan vragen,' grijnsde Peter en zijn gezicht drukte de immense opluchting uit die hij voelde. 'Hij probeerde nog aan die vijftienduizend gulden vast te houden en als ik alleen was geweest, had ik daar zeker aan toegegeven, maar pa trok een pokergezicht en beweerde ijskoud dat het financieel geen enkel probleem was om het vrijstaande huis verderop te kopen, want daar kreeg hij heus nog wel tweeduizend gulden of zo af nu het al een hele tijd te koop stond, dus hij deed het laatste bod zoals hij al had gezegd van veertienduizend en zevenhonderd gulden met de mededeling: ja of nee, en wel hier en nu. Mijn hart stond bijna stil, wil je dat wel geloven? Maar pa stak zijn hand uit en Naerebout klapte er na een korte aarzeling toch met zijn hand op. Tjonge, ik kreeg er bijna een hartverzakking van! Maar Joke, de koop wordt geregeld en het geld ook. We gaan naar de notaris en dan kunnen we plannen maken voor een verloving en zelfs al na gaan denken over de trouwdatum. Pa en Jos hebben nu een relatief stille tijd op de tuinderij. Ze gaan beginnen met groot onderhoud aan onze tuin en zodra de koop zwart op wit staat, gaan ze een doucheruimte installeren in dat kleine kamertje en het hele huis schilderen en opnieuw behangen. Naerebout haalt binnen twee weken de meubelen van zijn moeder uit het huis die hij nog wil hebben en haar persoonlijke spullen. De rest laat hij staan, is afgesproken. Als wij daar nog iets van kunnen gebruiken mogen we dat, al het andere kan weg onder de voorwaarde dat wij daarvoor zullen zorgen, zodat hij daarvoor geen kosten hoeft te maken. Nu, dat doen we zeker. Pa zegt dat we eventueel de huisraad die wij niet willen houden, kunnen verkopen om er nog wat geld voor te vangen.'

Er viel een loden last van haar hart toen ze dit alles hoorde, maar nog altijd bleef er een zekere voorzichtigheid. Zo van: eerst tekenen. Eerst zien en dan pas geloven.

Aan het einde van die maand werden op het atelier de nieuwe naaimachines afgeleverd en Joke vroeg bijna langs haar neus weg aan juffrouw Clemens wat er met de oude machines zou gebeuren. 'Mijnheer verkoopt ze,' kreeg ze te horen, als gebruikelijk op een toon die kortaf was en weinig uitleg gaf. 'Waarom? Weet je er iemand voor?'

Ze rechtte haar rug. 'Ik ga later dit jaar trouwen. Daarna zou ik best nog wel een tijdje door willen werken, maar...' 'Een getrouwde vrouw moet niet werken, maar voor haar man zorgen. Hebben ze je dat thuis niet geleerd?'

'Natuurlijk wel, juffrouw Clemens, maar ik heb er weleens over nagedacht of ik misschien een van de oude naaimachines over zou kunnen nemen en dan een naaikamertje in te richten in huis, zodat ik na mijn huwelijk kan naaien voor mijn familie en later mogelijk voor de kinderen.'

'O dat!' Het gezicht van de juffrouw keek alweer wat minder afkeurenswaardig. 'Zeg dat tegen mijnheer. Maar misschien heeft hij er allang iemand anders voor.'

'Mag ik daarvoor even naar beneden gaan?'

Er volgde een zucht, maar geen verbod, en meer kon ze niet verwachten. Vreemd, dacht Joke terwijl ze de trap af liep. Ze werkte hier al jaren, maar met een van de andere naaisters had ze nooit vriendschap gesloten. Zou ze het missen, straks? Waarschijnlijk niet. Zolang er geen kinderen waren en zeker geen hele rits zoals bij Peter thuis, leek het huisvrouwenbestaan haar niet al te zwaar.

'Is er iets, juffrouw Van der Sluis? Is uw grootmoeder weer ziek geworden?'

Ze kreeg er een kleur van. 'Nee mijnheer, gelukkig niet, het gaat beide oude mensen naar omstandigheden goed.'

'Wat is er dan?'

Ze voelde zich niet op haar gemak en het kostte even moeite om door te zetten. 'Er komen binnenkort nieuwe naaimachines en ik zou er eventueel wel in geïnteresseerd zijn om een van de oude machines over te nemen, mits u ze al niet aan iemand anders heeft toegezegd en het voor mij betaalbaar is, natuurlijk.'

Hij keek haar onderzoekend aan. 'Wil je soms voor jezelf beginnen?' Ze proefde erin dat hij dat nooit goed zou vinden, hoewel hij van een eenvoudige naaister als zij toch geen gevoelige concurrentie te vrezen had, dus ze vertelde hem schoorvoetend wat ze boven ook al tegen juffrouw Clemens had gezegd.

'O, zo, je gaat dus trouwen?'

'Als alles volgens wens verloopt, waarschijnlijk in mei of juni, mijnheer. Maar dat hangt van een aantal factoren af en niets is nog vastgesteld.'

'Hm. Wel, ik zal het er met mijn vrouw over hebben en dan laten wij het wel weten.'

'Dank u, mijnheer.'

Ze kreeg niet te horen of er al andere plannen waren, geen prijs, niets, dacht ze eerst aangeslagen, maar toen monterde ze zichzelf op dat hij ook niet had gezegd dat er voor de machines al een andere bestemming was.

Er gingen bijna twee weken voorbij en ze hoorde niets van mijnheer en Peter niets van Naerebout over het op schrift zetten van de overeengekomen verkoop. Moest het huis nu leeggeruimd worden of moesten ze daar nog mee wachten? De dagen in februari gingen met al die onzekerheden tergend langzaam voorbij. Bovendien had Peter het heel erg druk op de zaak en kwam hij niet langer elke avond bij hen eten omdat hij nog onderweg was. Als het laat werd en hij onderweg niets had gegeten, smeerde hij eenvoudigweg een boterham thuis, zoals hij dat ook 's morgens deed sinds mevrouw Naerebout door het breken van haar heup in het ziekenhuis terecht was gekomen. Gelukkig was er in het hoofdkantoor waar hij werkte wel een bedrijfskantine waar hij tussen de middag kon eten, zelfs warm als hij dat wilde.

Deze winter viel heel wat minder streng uit dan het vorige jaar, maar bracht toch de gebruikelijke ongemakken met zich mee. Op een koude morgen halverwege februari werd Joke bij mijnheer geroepen. Tot haar verrassing keek hij haar welwillend aan. 'Je mag een van de naaimachines overnemen.' Hij noemde haar een bedrag dat haar honderd procent meeviel.

'Dank u,' hakkelde ze dan ook, verbaasd en aangenaam verrast.

'Ik ben erg te spreken geweest over je werk,' ging mijnheer verder. 'Je hebt veel geleerd en bent een goed naaister geworden. Ik had je graag nog langer in dienst gehouden, maar ja, een getrouwde vrouw hoort thuis te zijn. Laat je me weten wanneer de grote dag precies zal zijn?'

'Zodra wij dat zelf weten, mijnheer,' knikte ze. 'Ik heb hier ook alle jaren met plezier gewerkt en misschien heeft u nog iets aan de mededeling dat ik altijd bereid ben om in te vallen als er grote drukte is of ziekte, tenminste, zolang ik nog geen moeder ben.'

'Dat is prettig te weten, juffrouw Van der Sluis.'

'Dank u, mijnheer. En mijn aanstaande verloofde heeft de beschikking over een auto, om de naaimachine op te halen als het zover is.'

'Mooi,' mompelde mijnheer nog. 'Mooi, mooi.'

Ze glimlachte naar juffrouw Clemens. 'Ik mag een naaimachine overnemen om thuis kleding te kunnen naaien voor mijn moeder en oma, en natuurlijk voor mezelf en mogelijk later voor de kinderen. Daar ben ik erg blij mee.'

De juffrouw knikte met haar gebruikelijke zure gezicht. 'Dus je laat ons binnenkort in de steek.'

'Het is nu eenmaal zo dat getrouwde vrouwen niet werken, maar ik heb mijnheer laten weten dat als er veel werk is, hij nog altijd een beroep op mij mag doen. In het huis dat mijn aanstaande verloofde en ik graag willen kopen, is een telefoonaansluiting. Die zullen we wel houden, want het is al meerdere keren erg gemakkelijk gebleken dat je gewoon iemand kunt opbellen en spreken als er dringende zaken zijn.'

'Toe maar, de juffrouw gaat het deftig doen.'
Ze bloosde en probeerde niet op de jaloerse ondertoon te reageren. 'We zullen het nog heel lang zuinig aan moeten doen, juffrouw Clemens. Vandaar ook de plannen om zelf te gaan naaien. Dat spaart veel geld uit.' Ze ging weer op haar plek zitten en moest moeite doen niet weg te dromen, nu er zoveel dingen waren die haar gedachten bezighielden.

Maar die avond leunde ze behaaglijk tegen Peter aan. Hij bleef steeds langer bij hen over de vloer. Het was in zijn kosthuis leeg en ongezellig. 'Ik had er geen idee van dat ik mevrouw Naerebout nog eens zou missen,' lachte hij. 'Ik at bij haar aan tafel, maar na het eten ging ik naar boven en bracht ze me alleen nog om acht uur een kopje koffie. De volgende morgen at ik mijn ontbijt beneden, het was gemakkelijk dat de tafel dan steeds klaarstond. Het voelt heel anders, zo alleen in een leeg huis. Ik kreeg vandaag trouwens een brief van Betsie. De kleine meid groeit goed. Mijn zus heeft geen problemen gehad met haar gezondheid of de borstvoeding. Ze is gelukkig met Pieter en het schijnt dat Schilles over een week eindelijk uit het ziekenhuis ontslagen wordt. Hij is door die lange opname al een hele tijd nuchter en een andere man geworden, schrijft Betsie. Ze hopen allemaal dat het zo blijft, maar met drankorgels weet je goedbeschouwd nooit waar je aan toe bent. Niettemin gaat het inmiddels met Tine ook weer beter. Ze is de eerste weken in het tehuis erg veel afgevallen en erg gewelddadig geweest, omdat ze moeite had met wennen. Nu krijgt ze medicijnen die haar veel rustiger houden.'

'Het meisje was nog nooit van de boerderij af geweest, en dan komt ze ineens ergens anders terecht, ziet ze allemaal onbekende gezichten. Zou ze haar ouders en broers niet gemist hebben?'

'Dat zal best, op haar eigen manier. Het is erg zo'n kind te krijgen, Joke, maar het is nog erger dat sommige mensen denken dat een ouderpaar wel erg zwaar gezondigd moet hebben, als God hen bezoekt met zo'n kind.'

Joke knikte. 'Ja, alsof het alleen maar hun eigen schuld is.' Toen ging de bel en was het uit met hun intieme gesprek. Mevrouw Van der Sluis kwam de keuken uit om open te doen en ze was daarmee Peter net voor. Tot hun verbazing kwam Naerebout naar boven. Hij keek onderzoekend om zich hen. 'Ik was bij het huis en zag dat u er niet was, Boerlage. Dus ik gokte erop dat u hier zou zijn.'

'Komt u verder, of wilt u me liever spreken in het huis aan de singel?'

Hij grinnikte. 'Het is nog niet van u, maar mijn mama heeft inmiddels de benodigde volmachten getekend, zodat ik haar zaken vanaf nu verder kan afhandelen. Jammer dat het langer duurde dan ik dacht, maar nu kunnen we een afspraak maken om de nodige akten te laten opmaken en ondertekenen, de betaling regelen, en dan staat het u vrij om over het huis te beschikken. Mijn moeder vindt het wel mooi dat u het huis koopt, Boerlage.'

'Daar ben ik bij om,' lachte Peter, maar de opluchting dat er nu afspraken konden worden gemaakt, kon hij niet van zijn gezicht weren.

Naerebout stak peinzend een sigaret op. 'Haar lichaam wil niet meer, Boerlage, en dat komt nooit meer goed. De heup groeit niet goed vast en het is onwaarschijnlijk dat ze ooit nog zal kunnen lopen, behalve dan enkele moeizame stapjes, die bovendien veel pijn doen. Maar mama berust inmiddels in haar lot. Ze komt straks bij mij en mijn vrouw in huis wonen. We hebben ruimte genoeg.'

Mevrouw Van der Sluis had zich gehaast de onverwachte gast van koffie te voorzien.

'U heeft geluk, mijnheer Boerlage, dat mijn moeder u zo aardig vond. Ze zei het een prettige gedachte te vinden dat u het huis gaat bewonen waar ze zelf zo gelukkig is geweest. Ze heeft er bijna twintig jaar gewoond, grotendeels samen met mijn vader. Toen hij een paar jaar na de oorlog overleed, was ze genoodzaakt om kostgangers te nemen om rond te kunnen komen. Enfin, haar mening heeft bij mij de doorslag gegeven. Wij hebben dus samen besloten uw bod op het huis te aanvaarden.' Joke voelde een grote opluchting, maar ze was wel zo wijs dat voor zich te houden. Het duurde niet lang voor er een afspraak was gemaakt om de gesloten overeenkomst bij de notaris af te ronden. Toen Naerebout weg was, sloot Peter Joke ontroerd in zijn armen. 'Het huis is bijna van ons, lieverd. Ik stuur meteen een telegram naar mijn vader voor het tijdstip, zodat hij het geld kan regelen. En pa en ik zijn al bij de bank geweest voor de hypotheek. Dat is evenmin een probleem.' Hij draaide haar rond in zijn armen en haar moeder keek grinnikend toe vanuit de keukendeur. 'We kunnen onze plannen nu definitief maken. We kunnen de trouwdatum vastzetten.'

Joke stond voor de spiegel en keek met tranen in de ogen naar wat ze daar zag. Het was een stralende dag aan het einde van juni, niet te warm, niet te koud, geen regen gelukkig, wel een stevige wind en behoorlijk wat bewolking, waardoor de zon slechts zo nu en dan scheen. In de spiegel zag ze een blozende jonge vrouw in een lange witte bruidsjapon met een kort sleepje. Ze had de stof voor de helft van de prijs gekocht van mijnheer. Juffrouw Clemens had zomaar uit zichzelf aangeboden als huwelijkscadeau de stof voor haar te knippen en haar te helpen met het afwerken. Joke had haar bruidsjapon zelf genaaid in de avonduren, op de naaimachine die nu op de zolderkamer van haar nieuwe huis stond.

Al een week na de dag dat alle papieren bij de notaris waren getekend en het eigen geld dat bij de koop moest worden ingelegd was betaald, waren ze verloofd. Haar overgang naar de kerk van Peter was rond. Zo nu en dan gingen ze nog wel samen naar haar oude kerk, met haar ouders en broertje en zus mee, maar ze had hun eigen dominee eerlijk verteld hoe de vork in de steel zat en daar had hij begrip voor getoond.

Zijn broer Anton zou getuige zijn voor Peter en Lies was getuige voor haar oudere zus.

Jokes ogen straalden haar in die spiegel tegemoet. Korenbloemenblauw, zoals Peter soms zei. Ze glimlachte. Het was twee uur in de middag. De gasten waren gearriveerd. Peter had vanmorgen in Zwijndrecht opa en oma opgehaald. Ze zouden vannacht in de meisjeskamer bij hun dochter slapen en morgen uitgerust weer met de trein teruggaan. Haar oom Aad en tante Lijnie kwamen samen met de familie Schilles, maar zonder Schilles zelf, die nog erg moeilijk liep. Hij was alweer een poosje thuis. Vaak zat hij erg in de put en de angst dat de man toch weer zou gaan drinken, hield het hele gezin in een akelige greep. Er was al twee keer een moment geweest dat Pieter nog net had kunnen voorkomen dat zijn vader een al ingeschonken glaasje jenever aan zijn lippen had gezet. De dorpsdokter had hem op het hart gedrukt dat iemand die aan drank verslaafd was geweest, niet meer stoppen kon als hij er eenmaal weer van had geproefd, en dan zou alle ellende weer van voor af aan beginnen.

Betsie straalde en haar dochtertje ging van hand tot hand. Betsie boog zich naar de bruid toe en fluisterde dat ze mogelijk weer zwanger was. Pieter voelde zich daar dolgelukkig mee.

Het hele grote gezin Boerlage was naar de stad gekomen. De twee kinderen van Anton waren bruidmeisje en bruidsjonker. Nog even en dan zouden de trouwkoetsen voorrijden en kwam Peter haar halen. Nog een uur of anderhalf, dan was ze met hem getrouwd. Joke glimlachte. Ze was wel een beetje zenuwachtig, maar niet erg. Ze had er vertrouwen in, besefte ze. Toen wendde ze zich van de spiegel af. Haar ouders betaalden de receptie en het diner. Voor meer hadden ze geen geld. Van haar schoonouders kregen ze de trouwkoetsen cadeau en ook hadden ze een cassette met bestek van hen gekregen.

Iedereen was er. Het wachten was nog op de bruidegom. Toen de bel ging, droogde ze toch weer een nieuwe traan, zo gelukkig was ze vandaag.

Eindelijk mocht ze uit de slaapkamer komen en mocht Peter haar zien. Hij gaf haar een prachtig afhangend bruidsboeket met rode rozen en stefanotis, zijn arm klemde stevig om haar heen. Zijn ogen straalden net zo als die van haar.

'Kom,' zei hij. 'De koets wacht. We gaan naar het stadhuis en daarna naar de kerk, en als deze dag voorbij is, wacht ons het eigen huis.'

Ze grinnikte. 'En een weekendje Parijs als huwelijksreis! Wie had dat ooit gedacht, nog maar goed een jaar geleden. Weet je nog, Betsie, toen kreeg ik die lekke band vlak bij jullie huis. De voorzienigheid moet er de hand in hebben gehad, denk je niet?'

Betsie knikte.

Aan de arm van Peter ging ze naar beneden. De twee paarden die de koets trokken, briesten onrustig. Verschillende buren stonden buiten te wachten om de bruid te bekijken. Ze stapte in de wiebelende koets. Haar moeder schikte zorgvuldig haar trouwjapon, zodat die niet zou kreuken onderweg. Peter greep haar hand. Niet veel later reden ze weg naar het stadhuis. Nog maar heel even en ze waren getrouwd.